D0767175

Rebondir après un divorce ou une séparation

« Psycho-Soma »

Une collection dirigée par Marie-France Muller

DANS LA MÊME COLLECTION

Affirmez et vous obtiendrez, Georges Barbarin.
Bonjour l'ambiance !, Patrick Estrad.
Chaleureuse rencontre avec soi-même, Thierry Tournebise.
Chassez la déprime... et profitez de la vie, Claude-Marc Aubry.
Cherche âme sœur, Chantal Hurteau-Mignon & Christophe Jaouën.
Coachez votre stress, Laurent Bertrel.
Cœur ouvert, esprit clair, La Vénérable Thubten Chödron.
Colère et agressivité, Betty Doty.
Comment acquérir la maîtrise de soi, Paul-Clément Jagot.
Comment attirer l'argent, Joseph Murphy.
Comment faire face aux gens difficiles, Alain Houel.
Comment développer votre mémoire, Paul-Clément Jagot.
Comment développer votre intuition, Judee Gee.
Comment vaincre peurs et angoisses, Georges Barbarin.
Comment vous libérer du tabac, Bruno Comby.
Développer l'estime de soi en 8 leçons, Agnès Payen de La Garanderie.
Développer votre humour !, Bernard Raquin.
Dire non, ça s'apprend !, Dominique Froom.
Émotions : mode d'emploi, Gilbert Garibal.
En finir avec le trac, Gilbert Garibal.
Énergie et bien-être par le mouvement, Moshe Feldenkrais.
Guérir du passé, Thierry Bernardin.
Guérir par la pensée, Dr. Joseph Murphy.
Image et amour de soi, Doreen Virtue.
Je m'affirme, Robert Juveneton.
La Dynamique du bonheur, Dr Joseph Murphy.
La Force de guérison de l'Arbre de Vie, Helmut Hark.
La Joie retrouvée, Dr Alexaznder Lowen.
L'Amour, énergie subtile de la guérison, Dr Leonard Laskow.
La Timidité vaincue, Paul Clément Jagot.
La Maîtrise de votre subconscient, Marcel Rouet.
La Maîtrise du lâcher-prise, Herbert Wagner.
La Magie de Foi, Dr Joseph Murphy.
La Morale retrouvée, Michel Anselme.
La Photo Kirlian, Dr Banos.
La Puissance de l'autosuggestion, Paul-Clément Jagot.
La Paix est en vous !, Dr Joseph Murphy.
La Prière guérit, Dr Joseph Murphy.
La Santé de notre mémoire, Éric Dekany.
La Spiritualité du corps, Dr Alexander Lowen.
La Symbolique des maladies, Roland Arnold.
La Technique Alexander, Pedro de Alcantara.
La Timidité vaincue, Paul Clément Jagot.
La Puissance du regard, Antony Luzy.
La Veine d'or, Julia Cameron.
La Vie commence à 50 ans !, Georges Barbarin.
La Vision bouddhiste du bonheur, Sylvia Boorstein.
La Visualisation créatrice, Melita Denning & Osborne Phillips.
La Voix de l'énergie, Jacques Bonhomme.
La Voie Sacrée des couleurs et des sons – La voie du diamant – tome 1, Hervé Bartos.
Le Couple retrouvé, Michel Anselme.
L'Éducation de la parole, Paul-Clément Jagot.
L'Énergie cosmique, Dr Joseph Murphy.
Les Miracles de votre esprit, Dr Joseph Murphy.
Les Morts sont toujours vivants, Dr Joseph Murphy.
Le Sentiment de culpabilité, Douglas H. Ruben.
Les Mots de la vie, Jean-Yves Anstet-Dangles.
Le Pouvoir de la volonté, Paul-Clément Jagot.
Les Mots qui guérissent, Dr Jean-Maurice Gillard de Saint-Gilles.
Le Pouvoir libérateur de la conscience, René Sidelsky.
Le Toucher relationnel, Martine Montalescot
Le Visage, reflet de l'âme, Jean Spinetta.
Libérez votre créativité, Julia Cameron.
L'Intelligence du corps, Debbie Shapiro.
L'Impossible est possible, Dr Joseph Murphy.
L'Optimisme créateur, Georges Barbarin.
****L'Ouverture au divin : entrer en relation avec les Anges*** – *La voie du diamant* – tome 2, Hervé Bartos.
Maigrir et vaincre la cellulite par la détente nerveuse, Marcel Rouet.
Messages d'amour de l'au-delà, Mitch Finey.
Méthode de training mental, Kurt Tepperwein.
Nos 5 sourires cardinaux, Béatrice Borg-Hoffmeister.
30 outils pour (se) dire, (se) raconter et l'écrire, Isabelle Lecomte.
Parents-enfants, Patrick Estrade.
Puissance de la méditation, Dr Joseph Murphy.
Psychothérapie par les méthodes naturelles, André Passebecq.
Rebirth, Leonard Orr & Konrad Halbig.
Réapprenez à vous alimenter, Sandra Moret.
Relaxation psychosomatique, Marcel Rouet.
Renaître aux bonheur, Dr Joseph Murphy.
Stress-control, Bruno Comby.
Senior, l'âge d'être, Diane Saunier.
Soyez l'acteur de votre vie, Aurélie Claisse.
Tao, Dominique Jacquemay
Transformez votre vie par la sophrologie, Thierry Loussouarn.
Vers la confiance en vous, Gilbert Garibal.
Vers une culture de non-violence, Jean-Marie Muller & Alain Refalo
Vieillir ou grandir ?, Gérald Quitaud.
Vivre en harmonie avec son corps par l'eutonie, Marianne Kjellrup.
Vivre sa vie : comprendre, décider et agir, Patrick Estrade.

Rebondir

après un divorce ou une séparation

diffusées et distribuées par DG DIFFUSION
Z.I. de Bogues
31750 ESCALQUENS
editions@dgdiffusion.com

L'AUTEUR :
Laurent Bavière, 44 ans, divorcé, 2 enfants, vous propose quelques pistes issues de sa propre expérience. Ce livre est donc le récit d'une histoire puis d'une renaissance plus qu'un guide de solutions.

Co-créateur du site communautaire des séparés, divorcés et monoparentaux qui fait référence (www.divorceoumonop.com), il est aussi co-fondateur, avec Maï Heems, de l'Association Française des Solos qui regroupe des milliers d'adhérents sur tout le territoire national (www.asso-des-solos.fr).

ISSN : 0397-4294
ISBN : 2-7033-0682-2

Je dédie ce livre :

— À mes 2 filles qui ont subi notre divorce.

— À mes parents et à mes amis qui ont su rester neutres.

— À Rémi Pauchet et Edouard Vanbelle, deux ingénieurs en informatique, qui ont créé et développé avec moi le site communautaire des séparés, divorcés et monoparentaux : www.DivorceOuMonop.com
puis celui de l'AFS : www.asso-des-solos.fr

— À tous les Solo'ptimistes, devenus Solos, et en particulier aux fondateurs et coordinateurs passés et présents, permanents ou momentanés. L'énergie et le temps qu'ils accordent à cette aventure extraordinaire réunit en communauté ouverte des milliers de séparés, divorcés et veufs en une « bande de copains » nationale incomparable.

— À Maï qui m'a accompagné, soutenu depuis 2000 et relu, corrigé, rafraîchi la mémoire pour cet écrit.

— À Pascale, surtout, avec qui je suis heureux de partager ma vie depuis maintenant 5 ans (bon sang, comme le temps passe vite quand on ne s'ennuie pas !).

Préambule

Je ne suis pas un juriste, ni un scientifique, ni un sociologue !

Je suis juste un divorcé qui a vécu les différentes phases du doute, de la séparation, du déménagement, de la dépression, de la remise en cause des valeurs et objectifs puis de la lente reconstruction…

Je me suis senti au ban, en marge, un peu perdu !

Avec des amis, retrouvés par hasard et divorcés eux aussi, nous avons voulu sortir de cet isolement et recommencer à bouger, à vivre.

Peu à peu, nous avons mis en place des informations sur Internet pour aider nos semblables à mieux comprendre et à mieux gérer les changements qui les attendaient : Des centaines de milliers d'Internautes sont venus voir notre site !

Maintenant, des forums et un chat permettent à plus de 300 000 internautes d'échanger, chaque mois, idées et conseils.

Nous avons parallèlement fondé une association ouverte et amicale pour permettre à ceux qui le souhaitent de se reconstituer un réseau relationnel sans forcément chercher l'âme sœur : Plus de 4500 personnes y ont adhéré dans plus de 45 villes !

J'ai donc rencontré des centaines de séparés, de divorcés et de veufs. J'ai aussi discuté avec des professionnels : avocats, médiateurs, conseils matrimoniaux… sur les questions directes ou indirectes que nous nous posons.

Ce livre permet à tous un accès à ces informations et à nos idées. Il complète parfois ou au contraire invite à découvrir notre site Internet.

CHAPITRE I

Vous aussi, vous allez divorcer ?

Peut-être êtes vous déjà divorcé, séparé, ou en train de vous y préparer ?

Dans ce cas, vous approchez ou dépassez probablement de peu la quarantaine et vos parents la soixantaine, sinon plus. Eux font partie des générations qui ont encore peu divorcé, alors que 90 % d'entre eux se sont mariés, et votre éducation nc vous a généralement pas vraiment préparé à votre situation actuelle.

Pourtant, aujourd'hui, les divorcés et séparés ne sont plus à proprement parler une minorité.

Plus nombreux que les homosexuels, ils sont moins organisés et moins visibles. L'une des raisons est que cette expérience se vit plus dans la douleur que dans la joie. Ce qui engendre plus de repliements sur soi-même que de manifestations extraverties.

La séparation, le divorce, la recomposition de la famille ne sont pas des phénomènes nouveaux. L'exemple le plus souvent présenté, dans les ouvrages qui traitent ce sujet, est celui de Napoléon et Joséphine (elle avait 6 ans de plus que lui et déjà deux enfants issus d'un premier mari décédé). Après quatorze années de mariage, ils ont divorcé en 1810.

La séparation entraîne évidemment un sentiment d'échec et de nombreuses déceptions mais, à ma connaissance, aucune étude ne prouve que les couples et leurs enfants aient été plus heureux avant l'augmentation du nombre des divorces. La dépendance financière de la femme, l'adultère fréquent des époux, les rudes conditions de travail de l'industrialisation, l'alcool et les maladies ne faisaient pas toujours de la famille un havre de paix. Il suffit de lire quelques auteurs de ces époques pour s'en convaincre.

Pourquoi serait-il plus difficile, par ailleurs, d'être enfant de divorcés que d'être victime d'autres maux bien plus dangereux ? Le maintien artificiel du couple peut aussi être préjudiciable en cas de brouilles incessantes ! Le seul souci de garder aux enfants des parents mariés ne peut apporter une réponse suffisante.

Le sociodémographe Paul Archambault a démontré que nos enfants réussiraient moins bien à l'école, en moyenne, et qu'ils auraient moins accès aux études supérieures. Ce déficit serait dû essentiellement à la situation devenue précaire des familles monoparentales. Cependant je suis entouré d'enfants de divorcés qui ont de très bons résultats scolaires dans des écoles plutôt élitistes, pour peu que le corps enseignant et les parents les suivent normalement. L'étude porte sur des enfants nés entre 1958 et 1979 alors que le divorce se développait mais était encore rare. Il serait nécessaire maintenant d'étudier des enfants nés il y a 25 ans puis de refaire la même analyse dans 15 ans avec ceux nés il y a 10 ans. Il serait alors possible de comparer et de voir l'évolution. À 16 et 14 ans, mes enfants n'ont rien à voir avec ceux nés en 1958 !

S'il est certain que les monoparentaux perdent 30 % de pouvoir d'achat, ce qui peut avoir des conséquences fâcheuses sur la qualité du suivi accordé à nos enfants, il me semble dangereux de diaboliser notre situation.

En revanche, il est vrai que de nombreux foyers n'ont pas les moyen de vivre correctement dans ces conditions et qu'il est souvent difficile de s'imaginer toutes les conséquences d'une séparation.

L'objectif de ce livre est multiple :

– Proposer des pistes à ceux qui en cherchent, expliquer que des solutions existent et qu'il vaut mieux essayer de gérer sa séparation.

– Vous confirmer qu'il ne s'agit pas d'une maladie honteuse, que nous sommes nombreux et que nous devrions nous organiser un peu mieux pour ne pas rester repliés sur nous mêmes. Vous pourrez donc trouver des idées pour ne pas rester isolé(e).

* *
*

Bien sûr, je ne ferai jamais l'apologie de la séparation ni de la famille éclatée car la plupart d'entre nous auraient préféré rester heureux en couple.

Je vois d'ailleurs que de nombreux couples vivent amoureusement jusqu'à leur séparation naturelle. Je pense que la beauté de cette union vaut largement quelques efforts individuels pour dépasser les désaccords, lorsque c'est possible.

Dans certains cas, une aide extérieure peut se montrer largement bénéfique.

Pour ma part, je reconnais que mon propre couple a sûrement sombré peu à peu dans la lassitude. J'ai eu le sentiment de devoir toujours apporter plus, plus haut, plus fort, plus grand et j'ai eu l'impression que je ne pourrai jamais combler un manque qui évoluait en même temps que nous avancions. Durant cette période, mon activité professionnelle m'a éloigné du lundi matin au vendredi soir pendant plusieurs années. J'étais crevé le week-end, je ne voulais plus sortir de chez nous et je dormais sans cesse. Ma femme voulait quitter ses fourneaux, aller au cinéma, au restaurant alors que j'étais content de rentrer chez nous et que je ne voulais plus sortir. Mes filles me regardaient sur l'air de « tiens, papa est là ? »… Je ne comprenais pas les reproches puisque, bon sang de bonsoir, je travaillais tout le temps pour le confort de ma famille !

J'avais pris 20 kilos en 13 ans. Je ne faisais plus de sport. J'étais *out*, comme mort !

J'ai changé de travail, nous sommes rentrés à Lille et je suis revenu chez nous tous les soirs : trop tard ! Nous n'avions plus les mêmes envies ni les mêmes objectifs depuis des mois.

Je m'en souviens comme si c'était hier. J'ai dit un jour quelque chose du genre « Si nous ne sommes pas heureux ensemble et si tu ne penses pas que ça va aller mieux, que proposes tu ? Divorcer ? ». La réponse ne s'est pas faite attendre : « Oui, je crois que nous devrions divorcer ! ».

Fermez le ban !

J'ai beaucoup appris depuis sur la famille, la complicité, l'écoute, le respect des attentes de l'autre, l'attention aux détails…

CHAPITRE II

Si ce n'est pas trop tard...
Faites vous aider !

Je ne vais pas entrer ici dans un débat sur les difficultés de la vie en couple mais il faut reconnaître que faire cohabiter en totale harmonie des êtres aussi différents qu'un homme et une femme pendant des dizaines d'années est un tour de force !

L'augmentation de l'espérance de vie a allongé très sensiblement la période de cohabitation.

Depuis les années 70, les femmes ont de plus en plus souvent une activité professionnelle (en plus du travail au foyer) et peuvent acquérir une autonomie financière. La dépendance des femmes est donc moins fréquente, surtout en ville, et l'amélioration des outils ménagers (machines à laver...) a libéré la femme des tâches les plus ingrates et les plus longues.

Bref, les repères ont changé et les relations homme / femme ont évolué vers plus d'égalité même si de nombreux progrès restent à faire.

Les femmes, autrefois féministes, se plaignent même parfois de ne plus rencontrer de « vrais hommes » et ces derniers sont fréquemment affolés par les libertés de leurs amies.

Personnellement, j'avoue être resté littéralement bouche bée et totalement immobile la première, et seule fois, qu'une femme m'a franchement mis la main aux fesses en me regardant droit dans les yeux ! Comme elle me glissait en plus un bout de papier dans la main, je n'ai rien su dire d'autre que « merci ». Ce n'est qu'après son départ, presque immédiat, que j'ai vu qu'elle me donnait son numéro de téléphone.

Nous n'apprenons pas à l'école comment mieux se comprendre l'un l'autre dans un couple. Je n'ai d'ailleurs jamais bien compris de ne pas avoir eu de cours sur les relations hommes / femmes, sur les soins et l'éducation des bébés puis des enfants, sur la gestion d'un budget familial ou sur les bases de la cuisine alors que tant de sujets appris ne m'ont jamais servis.

Pouvons-nous nous étonner que des enfants soient maltraités, que des foyers soient surendettés ou que des familles ne consomment que des plats cuisinés ?

Bien sûr, ces données doivent aussi être transmises par les parents et l'école ne peut combler toutes les lacunes. Cependant, puisque nos enfants bénéficient de cours d'éducation sexuelle ou d'instruction civique, pourquoi ne pas établir aussi un programme de « compréhension homme / femme », un cours général sur l'éducation et la santé des enfants et sur la bonne gestion d'un budget ?

Revenons à votre couple, ne vous enfermez pas si vous communiquez difficilement car il vaut mieux agir au plus vite que de laisser pourrir la situation.

Si vous avez du mal à trouver un équilibre ou si votre couple commence à prendre l'eau, faites-vous vite aider par une association familiale ou par un service de médiation.

Il est normal qu'une relation de couple soit faite de hauts et de bas et cela vaut largement la peine d'essayer de trouver des solutions ensemble.

Nous connaissons tous des amis qui ont eu une période difficile, ont su trouver un consensus et sont très heureux maintenant !

Les associations familiales :

De nombreuses associations spécialisées dans les questions familiales peuvent aider le couple à retrouver sérénité et volonté de construire ensemble un foyer durable (Source UNAF) :

CLER Amour et Famille
65, boulevard de Clichy
75009 PARIS
Tel. : 01 48 74 87 60 – Fax : 01 44 53 95 59

Date de création : 1962
But du mouvement :
L'action de CLER Amour et Famille s'exerce fondamentalement en faveur de la personne, spécialement dans sa dimension affective et sexuelle avec toutes ses conséquences : notamment la valeur de la procréation consciente, de la parenté responsable, la maternité, de l'enfant, de l'engagement conjugal.

Il s'adresse également aux couples en difficultés sur ces divers points et aux jeunes dans le cadre de l'éducation affective et sexuelle.

Familles de France
28, place Saint-Georges
75009 PARIS
Tel. : 01 44 53 45 90 – Fax : 01 45 96 07 88
Email: famillesdefrance@wanadoo.fr
Site Internet : http://www.familles-de-france.org
Date de création : 1921
Reconnue d'utilité publique

But du mouvement :
Action globale d'entraide, de représentation, de défense et d'éducation permanente recouvrant l'ensemble des aspects de la vie familiale.

Familles Rurales
7, cité d'Antin
75009 PARIS
Tel. : 01 44 91 88 88 – Fax : 01 44 91 88 89
Email : famillesrurales@wanadoo.fr

Date de création : 1943
But du mouvement :
Le réseau Familles Rurales contribue au développement et à l'animation du milieu rural sous toutes ses formes. Il regroupe des familles vivant en milieu rural et périurbain, assure la défense de leurs intérêts matériels et moraux, les représente auprès des pouvoirs publics ou tout organisme, au plan national comme européen.

Fédération Nationale Couple et Famille
28, place Saint-Georges
75009 PARIS
Tel. : 01 42 85 25 98 – Fax: 01 45 26 63 70
Site : http://www.couples-et-familles.com
Email : couplesetfamilles@free.fr

Date de création : 1966
But du mouvement :
– Promouvoir les valeurs humaines relatives à la personne, au couple, à l'enfant, à la famille ;

– Aider, en cas de difficultés relationnelles, la personne, le couple, la famille en respectant leurs désirs et leurs propres valeurs ;

– Apporter des informations objectives sur la transmission de la vie aux plans biologique et physiologique ;

– Permettre, grâce à l'accueil, l'écoute, le dialogue, une réflexion et une prise en compte de tous les aspects de la vie affective, sexuelle, amoureuse et relationnelle, une meilleure compréhension de soi-même et de l'autre et une action responsable.

La médiation familiale :

Apparue aux USA il y a près de cinquante ans, elle a conquis ensuite l'Europe du nord. Elle a pour objectif d'aider à gérer les conflits dans une famille dont les parents se séparent.

Régie en France par la loi du 08 Février 1995 et un décret du 22 Juillet 1996, elle se développe régulièrement et il y a maintenant des centaines de services de médiations.

Fédération Nationale de la Médiation Familiale (Fenamef)

Tel. : 02 31 46 87 87

Je pense presque que quelques entretiens de médiation familiale devraient être obligatoirement et systématiquement organisés avant une séparation. La nouvelle loi sur le divorce le prévoit et les juges invitent de plus en plus fréquemment les couples à consulter ces associations d'aides.

En effet, les professionnels de la médiation, tenus au secret, sont indépendants du couple et de leurs familles, ce qui leur permet de chercher la plus grande neutralité possible.

Leurs expériences des confits familiaux facilitent l'analyse des causes réelles et éventuellement des solutions envisageables. Dans le cas contraire, ils peuvent se montrer de très bons conseils pour éviter drames et déchirements, notamment pour la protection des enfants.

Plus le service de médiation est contacté tôt et plus il sera utile pour aider le couple à faire ses choix dans le respect de la relation passée et pour la construction d'une relation future pérenne particulièrement importante s'il y a des enfants.

Le seul fait de tenter de sortir de la crise est une excellente préparation pour éviter la guerre lors de la séparation.

Le juge aux affaires familiales confronté à un conflit à propos de la résidence des enfants, du droit de visite ou du patrimoine, par exemple, peut souhaiter favoriser la recherche d'un règlement amiable et ordonner une médiation familiale.

Limitée dans le temps, elle est constituée d'entretiens avec le couple parental et avec les enfants si nécessaire. Cela doit permettre d'élaborer un accord écrit, parfois avec l'aide des avocats pour la formalisation, qui sera soumis au juge.

Le médiateur ne remplace pas le juge et ne retire pas aux parents leur devoir de trouver ensemble la solution. Il les assiste sans en faire des « assistés » !

❁ ❁
❁

Vous faire aider par un coach :

Tout va mal à la maison et vous avez un travail de dingue : c'est le cocktail détonnant !

Venu aussi des États-Unis, s'accorder les services d'un coach est une alternative intéressante car ce soutien extérieur vous aidera à garder la tête hors de l'eau pour ne pas exploser au boulot.

Concrètement, le coach est rémunéré pour vous aider mais il n'est ni un conseil, ni un consultant. En effet, il ne va pas vous suggérer « la » solution, validée par son cabinet mais il va favoriser votre propre analyse de la situation. Il va vous aider à trouver la solution la plus adaptée à votre cas et, si vous le souhaitez, va vous accompagner le temps nécessaire à l'accomplissement de votre démarche avant, pendant ou après une séparation.

J'ai moi même bénéficié de ce type de soutien car j'occupais une fonction managériale dans l'entreprise qui m'employait et je perdais complètement les pédales : j'étais irascible, fermé, triste voire neurasthénique et cela avait des conséquence sur l'ambiance de travail et sur les relations que j'entretenais avec mes collègues. Sans m'en rendre compte et donc sans l'accepter, je basculais dans la déprime. Avec le recul, je me rends compte que ce comportement a commencé dès la décision de nous séparer, six mois avant de déménager, plus six autres mois après avoir changé de domicile. Le Directeur des Ventes auquel je rendais compte, un homme très entier capable du meilleur comme du pire, a fait preuve d'un excellent sens pratique en avance sur son temps.

Il m'a tenu un discours salutaire :

Pour le boulot, rien n'allait plus et nous allions dans le mur si je continuais. Pour le reste, il ne pouvait rien faire et me proposait donc de rencontrer un homme extérieur à l'entreprise qui allait m'aider momentanément. Je pouvais refuser mais il me demandait de réserver ma réponse et de prendre le temps de la réflexion. J'avoue qu'un sentiment d'orgueil m'a effleuré car, évidemment, je ne voyais pas de quel problème personnel il parlait, et je me sentais assez fort pour m'en sortir tout seul. Pourtant, la moindre contrariété ou le plus petit témoignage de sympathie me mettait les larmes aux yeux.

Ce directeur m'a suggéré de rencontrer un homme que je connaissais et que j'appréciais. Celui-ci m'apprit, lors de notre première rencontre, qu'il était lui même divorcé et c'est grâce à cela que je l'ai accepté. Je me souviens très précisément de notre premier entretien, dans une petite pièce au premier étage du bâtiment où je travaillais, rue du collège à Marcq-en-Baroeul.

Ralph, le consultant, fut le déclencheur de ma reconstruction.

L'accompagnement qu'il m'a accordé m'a aidé à séparer le professionnel du privé et à reprendre peu à peu le dessus. Mais cela a pris encore six mois !

Avant ce divorce, je me croyais fort et étanche, sûr de faire la part des choses. Je suis maintenant sacrement plus suspicieux de mon objectivité et de mes certitudes.

Je sais que j'ai eu beaucoup de chance d'être aidé ainsi par un coach dans une société française alors que j'étais cadre non dirigeant. L'entreprise qui m'employait m'a accompagné en me changeant de service et les managers m'ont véritablement accueilli et soutenu.

La séparation est un problème totalement privé mais, avec le recul, il me semblerait logique que les employeurs se penchent un peu plus sur les conséquences des divorces sur leur personnel.

Il faut souvent plus d'un an pour refaire surface tant les changements sont nombreux : deuil du couple, déménagements, dépression…

Sans indiquer en général ce qui lui arrive, la personne concernée devient moins disponible, moins sereine, voire glisse sans le sentir dans la morosité : l'entreprise va forcément payer une partie de l'addition !

Voulant retrouver une fonction commerciale, je me souviens d'avoir rencontré la DRH de l'entreprise et de m'être mis à pleurer à la première objection. Elle a dû me prendre pour un doux dingue et s'est d'ailleurs totalement trompée sur mes motivations à ce moment là. Elle n'a jamais eu le courage de me dire la suite qu'elle comptait donner à ce rendez-vous !

C'est mon chef de service qui me fit comprendre que je n'aurais pas d'opportunité et j'ai décidé alors de quitter l'entreprise. J'étais de toute façon laminé et c'était ce que je pouvais faire de mieux.

La grande majorité de mes collègues, mais aussi d'autres membres du personnel m'ont entouré, malgré mon aveuglement, de leurs attentions. D'autres en ont profité pour mordre comme le font les requins dès qu'un peu de sang coule.

Me faire suivre un séminaire de motivation dans ces conditions n'aurait eu aucun impact et tous les DRH devraient disposer dans leurs tiroirs d'un coach compétent et maîtrisant bien le sujet pour accompagner les personnes qui gèrent difficilement leur séparation. J'imagine d'ailleurs qu'une participation pourrait être demandée au salarié pour valider sa volonté d'avancer.

Franchement, si cet engagement de l'employeur peut éviter une longue démotivation ou le départ d'un collaborateur qui a fait ses preuves, il s'agit d'un bon investissement, surtout à une époque où les départs en retraite vont rendre les quadras et quinquas expérimentés plus rares sur le marché.

Pour ma part, je suis très reconnaissant à cette entreprise et à tous ceux qui m'ont soutenu pendant cette phase difficile (Joël, Pierre, François, Béatrice, Muriel, Frédérique, Jean, Éric...) même si, depuis, j'ai quitté cette société.

CHAPITRE III

Gérez votre séparation au lieu de vous déchirer !

À quoi bon en rajouter ?

Vous vous êtes aimés mais chacun sait que de l'Amour à la Haine, le chemin peut être court !

Posez-vous, réfléchissez…

L'Amour que vous avez eu l'un pour l'autre mérite bien quelques concessions pour rester humains sinon amis.

Au-delà de l'amitié que vous sauvegarderez peut-être, vous épargnerez à vos enfants et à vos amis de devoir prendre parti pour l'un ou l'autre, ce qui est souvent immonde et peut laisser des traces profondes.

Un salarié change maintenant en moyenne huit fois de travail au cours de sa carrière. Chaque départ et chaque nouveau contrat sont négociés et gérés. Puisque vous vous séparez, tachez de gérer la chose convenablement, en « gagnant-gagnant-gagnant ». Je veux dire par là que chaque membre du couple et les enfants éventuels doivent s'en sortir au mieux et de façon durable.

A – Divorcez par consentement mutuel (56 % des cas). De toute façon, la majorité des divorces pour faute le sont en torts partagés. Il ne sert donc pas à grand chose de se battre comme des chiens.

B – Trouvez des accords de bon sens, pensez à l'avenir, faites réaliser des contrats logiques (50 % des divorces retournent au tribunal).

C – Pensez à toujours préserver les enfants (15 % des enfants ont des parents divorcés, soit près de 1 sur 6). Gardez ou laissez votre ex-conjoint gardez le contact avec eux.

Et n'oubliez pas que si les enfants veulent la fin d'une situation de crise, ils ne souhaitent pas la séparation de leurs parents. L'enfant se sent abandonné par celui qui est parti, et par celui qui est éventuellement moins disponible sur le plan affectif. Expliquez-leur qu'ils gardent deux parents, qui les aiment autant qu'avant.

Un exercice simple nous a permis, à mon ex-femme et à moi, de montrer à nos jeunes enfants que nos relations avec eux ne changeaient pas. Il s'agissait de tendre un ruban entre les deux parents, de les attacher, par exemple autour de la taille, et d'expliquer que ce ruban représente l'Amour. Vous reliez ensuite chaque parent à chaque enfant, et les enfants les uns aux autres. L'amusement est déjà garanti si vous savez y mettre un peu d'humour !

Ensuite, vous leur expliquez que leurs parents se respectent beaucoup, mais ne s'aiment plus « comme un papa et une maman », et vous coupez le ruban entre les parents.

Puis vous leur demandez d'expliquer ce qu'ils ont compris. Bien sûr, l'Amour existe toujours entre chaque parent et ses enfants !

Ne dégradez jamais l'autre. Un jour, ils jugeront d'eux mêmes.

N'oubliez pas que votre enfant aussi change de vie : 2 maisons, les valises, les différents repères qui se modifient. Accompagnez le.

Je souhaite réagir ici face à ces quelques femmes qui ont bien compris que le fait d'accuser leurs anciens maris d'attouchements les éloignerait de leurs enfants. Il faut agir avec la plus grande fermeté lorsque cela est vrai. Mais il est ignoble d'utiliser ce stratagème contre des pères inoffensifs en mentant ou en faisant mentir des enfants pour les séparer de leur père. Les enquêtes de police, les juges et les témoignages laissent des séquelles indélébiles sur des hommes parfois victimes et sur ces enfants manipulés.

J'ai entendu une mère accuser le père de ses enfants d'« attouchements obscènes » parce qu'il leur met « la main aux fesses » !

Bon sang, moi aussi il m'arrive de faire une tape sur les fesses de mes filles comme quand elles étaient encore bébés !

Je fais confiance à la justice et aux psychologues pour découvrir en fin de compte la vérité et il faudrait condamner ces femmes abusives et le faire savoir.

La femme dont je parle ne ratait pas une occasion de le dire à tous ceux qu'elle rencontrait, soulevant à chaque fois le cœur de l'interlocuteur et clouant le papa au pilori. Quelques années plus tard, je remarque que le père a fait un chèque conséquent, que les soupçons sont évaporés et que les enfants vont souvent chez leur père. Et, si nous n'avons pas oublié cette histoire, le père et les enfants ont-ils pu le faire ?

De même, je suis à chaque fois abasourdi d'apprendre d'un père qu'il ne voit plus ses enfants parce que, « puisque leur mère a voulu divorcer, elle n'a qu'à les élever seule ! »

Enfin, faites en sorte que vos enfants rencontrent d'autres enfants dans leur situation pour qu'ils relativisent et ne se sentent pas « anormaux ».

D – Pensez aussi à vous. Si besoin, faites-vous suivre par votre médecin traitant. Un peu de vitamines ou de quoi bien dormir peut être utile, si employé intelligemment, en cas de coup de blues prononcé. Un psychothérapeute, un expert en analyse ou en PNL peut vous aider à démêler les ressentis des faits.

E – Autant que possible, soyez très attentif à vos proches, sécurisez-les sur votre état mental. Sans verser dans le « tout va très bien, Madame la Marquise », essayez de donner une image normale.

Peu de personnes savent écouter avec une réelle bienveillance les soucis des autres. **Gardez ce rôle à vos très bons amis.**

F – Ne vous enfermez pas, profitez du temps disponible pour refaire du sport, pour rencontrer de nouvelles personnes, pour intégrer une association d'entraide ou de loisir. De nombreuses activités non coûteuses existent. S'il n'y en a pas, créez avec notre aide une antenne de l'Association Française des Solos. Cela vous occupera, vous donnera un but et vous apportera surtout l'occasion de voir beaucoup de personnes dont la plupart sont moins bien loties que vous !

Il faut réagir très vite, dès la séparation, au lieu de remettre à plus tard (« pour l'instant, je ne veux voir personne »).

Selon l'INSEE, il y avait plus d'un million de foyers monoparentaux en France en 1987. Nous serions 1,8 millions maintenant. Vous êtes entourés, sans le savoir peut-être, d'hommes et de femmes dans votre situation.

CHAPITRE IV

Renseignez-vous !

Chacun de nous a des connaissances propres à son histoire, à sa profession, à ses relations…

Mais personne ne peut imaginer tout ce qu'il faut savoir pour faire face à une séparation !

Vous allez devoir vous transformer en juriste, assureur, banquier, psychologue, déménageur…

Parfois même vous devrez vous mettre dans la peau d'un détective, d'un agent immobilier ou d'un décorateur…

Bon courage !

Pour éviter le surmenage comme les erreurs, il est donc impératif de bien vous faire conseiller et cela, vous le savez, coûte cher.

Pour vous renseigner, vous pouvez, dans un premier temps, acheter un livre exhaustif sur le sujet. J'ai épluché durant deux semaines le « Guide du divorce » de Maître Ribay de Villeneuve. Tous les conseils élémentaires ou particuliers sont assortis de nombreux exemples.

Puis, vous pourrez commencer par rencontrer un médiateur pour essayer de sauver votre couple ou pour tenter de trouver les accords de principe entre vous afin de définir quelle démarche juridique vous allez entreprendre.

Le choix d'un avocat (ou de deux !) est ensuite nécessaire car encore obligatoire. Seul un professionnel, de toute façon, peut étudier la situation avec assez de connaissances et de compétences pour définir avec vous ce qui sera le plus juste et le plus viable pour les deux parties, et le plus acceptable par le juge.

Dans la mesure du possible, c'est-à-dire en cas de démarche amiable, choisissez le même avocat. Outre les économies que vous ferez, vous éviterez les avocats qui prennent plaisir à mettre de l'huile sur le feu pour faire durer et augmenter la note.

La plupart des avocats acceptent de vous proposer un « forfait divorce ».

Comptez 1 800 à 2 300 euros en province et 2 300 à 3 000 euros en région parisienne. Cependant, si vous payez à l'heure et/ou que votre affaire s'éternise ou se complique, vous pouvez atteindre les 6 000 euros !

Le critère financier est cependant, à mes yeux, secondaire. La confiance que vous aurez en votre avocat est un élément bien plus important !

Si le marché du divorce assure de confortables rentes à certains, qui se contentent de suggérer un contrat de divorce stéréotypé rapidement sorti d'un traitement de texte, il y a fort heureusement une majorité d'hommes et femmes de loi à grande conscience professionnelle.

Pour les découvrir, la meilleure solution reste de faire appel à quelqu'un qui vous est recommandé par un tiers de confiance.

Vous pouvez contacter aussi l'association Divorcés de France (http://www.ddf.asso.fr) qui a négocié avec de nombreux avocats un tarif raisonnable et une première consultation à prix réduit. L'adhésion à DDF coûte en revanche une petite centaine d'euros.

Pour information, mon ex-femme et moi sommes allés voir un avocat commun très efficace qui a accepté de suite un forfait global avec un montant supplémentaire négocié à l'avance en cas d'appel. Nous étions donc sereins de ce coté !

Une fois votre avocat rencontré, vous devrez peut être faire appel à un notaire pour départager les biens communs, séparer les plans d'épargne…

Je vous déconseille vivement, si vous n'êtes pas parfaitement en phase, de vouloir faire un partage tout seul. Les litiges viennent en général de la garde des enfants et des intérêts financiers divergents. Même si vous partagez la même vision de votre partage du capital commun, un notaire vous apportera des conseils judicieux et une connaissance approfondie des lois et démarches pour vous éviter de faire des erreurs.

Un couple s'est ainsi déchiré durant des années alors que tout avait été réglé entre eux sans problème jusqu'au prononcé du divorce. Ce n'est qu'ensuite que l'un des anciens époux s'est aperçu des conséquences des choix faits ensemble et a pensé, à tort peut être, qu'il avait été berné.

Si les choses se passent mal :

– Faites un inventaire des meubles et objets de votre domicile et de votre éventuelle résidence secondaire.

– Demandez un état de vos comptes et fermez dès que possible les comptes joints en indiquant à la banque qu'une séparation est à venir. Attention, il est nécessaire de retirer totalement votre signature de ces comptes pour ne pas être responsable en cas de nouvel emprunt, par exemple. Ne videz pas plus de 50 % des comptes après avoir obtenu une attestation de situation pour ne pas être accusé(e) d'indélicatesse.

– Contactez votre avocat pour avoir des conseils précis et adaptés à votre situation. Il ou elle saura vous indiquer quelle procédure doit être engagée.

Il sera temps, plus tard, après le partage, de penser à la reconstruction de votre patrimoine.

Enfin, voyez un assureur car la situation d'un célibataire ou d'un monoparent n'impose pas les mêmes sécurités et contrats que dans une famille traditionnelle.

CHAPITRE V

S'organiser et déménager

Commencez à préparer la séparation physique et le déménagement.

Il est quasi obligatoire que cet événement fasse baisser le pouvoir d'achat. Chacun des ex devra se loger, se déplacer, s'assurer, s'abonner pour obtenir l'électricité, le téléphone…

Dans notre cas, nous avons déménagé en deux fois. Mon ex femme et les enfants sont restés dans notre maison et je suis parti dans un appartement.

Un an plus tard, elles ont déménagé à leur tour à 500 m de chez moi, ce qui a facilité grandement les choses. Maintenant, elles vivent dans une maison en cours d'acquisition à quelques kilomètres.

Bien que notre décision de nous séparer ait été définitivement prise un 31 décembre au soir, nous avons choisi fin juin, soit la fin de l'année scolaire, pour l'annoncer aux enfants. L'été a été mis à profit pour réaliser la séparation et le déménagement a eu lieu début septembre.

J'ai décidé de laisser sur place la quasi totalité de nos affaires communes car je ne voulais pas que mes filles entendent un jour « vous n'avez plus ceci ou cela parce que votre père est parti avec ! ».

Il est déjà assez dur de donner l'impression de quitter le domicile familial quand la décision est à peu prés commune et que vous faites cet effort pour que vos enfants ne perdent pas tous leurs repères.

Comme vous vous en doutez, je pensais donc avoir tout prévu durant l'été !

J'ai emménagé dans un appartement à 2 chambres dont une commune pour mes deux filles, avec ma chaîne hi-fi et mon appareil photo. J'ai profité de l'occasion pour abandonner définitivement la télé.

J'avais commandé mes meubles chez divers fournisseurs avec livraison le 1er septembre et j'étais très fier de l'organisation exemplaire que j'avais mise en place. Pour bénéficier de prix imbattables, j'avais commandé directement dans les usines lorsque cela était possible ou par correspondance avec des remises fortes. J'avais donc l'avantage supplémentaire d'être totalement livré.

J'ai effectivement reçu le 1er septembre matin mon étagère, deux armoires, mes chaises et ma table basse.

En revanche, pas de nouvelle des lits et matelas, ni de l'électroménager !

Inquiet, j'ai téléphoné au milieu de l'après midi pour m'assurer d'une livraison proche.

Je n'avais pas prévu que mon réfrigérateur, ma plaque de cuisson et ma machine à laver partiraient à Metz au lieu de Marcq-en-Baroeul à cause d'une stupide inversion de chiffres sur le code postal (57900 au lieu de 59700).

Les objets avaient été mis en dépôt chez le transporteur du département 57 qui devait les réexpédier à l'usine avant qu'ils soient enfin renvoyés à Marcq !

Quant aux lits et matelas, ils étaient en rupture de stock momentané et me seraient livrés au plus vite. Le fournisseur m'avait envoyé un courrier pour me prévenir…

Me voilà donc sur un matelas gonflable et dans un duvet pour une semaine, ce qui n'est finalement pas très grave. Manger des sandwiches durant 20 jours a en revanche été plus pénible !

Ajoutez à cela le stress dû au changement de situation et au fait de ne plus être avec mes enfants, les inquiétudes du « j'ai raté ma vie, que vais-je devenir ? » et vous imaginerez facilement que je ne dormais pas beaucoup et pas très bien.

Vous comprendrez par richochet dans quel état je partais travailler le matin…

Je vous invite donc à être encore plus précis que moi pour votre déménagement…

Prévoyez tout dans le détail :

Quand allez-vous quitter le domicile conjugal ?

Avez-vous un pied-à-terre ou devez-vous chercher un nouveau logement ?

Allez-vous acheter ou louer ?

Quel sera le délai nécessaire ?

Faudra-t-il une caution, des frais d'agence ?

Faudra-t-il rééquiper le logement ?

Avec quels meubles ?

Avez-vous 1 ou 2 voitures ? Aurez-vous besoin d'en acheter une ?

Devez-vous mettre fin au contrat d'une femme de ménage ?

Où les enfants vont-ils habiter ?

Où les enfants iront-ils à l'école ?

Avez-vous rencontré les enseignants des établissements pour les prévenir ?

Avez-vous une baby sitter sur place ?

Savez-vous vous servir d'une machine à laver le linge ? D'une tondeuse ?

Qui pourra vous aider ?...

Listez sur le papier tout ce que vous devez faire :

Faites un rétro-planning personnel qui tiendra compte des délais nécessaires à chaque action. Cela vous assurera de les faire dans l'ordre car il est bien possible que vous ayez oublié le genre de gymnastique impérative à un remue-ménage complet si vous n'avez pas déménagé depuis longtemps.

Dans le cas contraire, n'oubliez pas que chacun va devoir faire face à ses propres tracas !

Enfin, certaines tâches imposent une présence en journée et en semaine, et donc la prise de RTT ou de congés…

Pour ce qui est du lieu de résidence après la séparation, notre choix de vivre dans un premier temps à 500 mètres l'un de l'autre était totalement réfléchi et présentait de nombreux avantages : je voyais mes filles très souvent, elles pouvaient aller chez l'un ou l'autre en sortant de l'école, nous pouvions nous dépanner aisément si les filles avaient oublié quelque chose, si l'un de nous devait partir très tôt un matin ou durant une semaine…

Maintenant, nous sommes à 10 minutes de voiture et cela reste assez simple.

Dans le principe, nous pourrions même faire une garde alternée !

Cependant, le faible éloignement ne facilite pas le deuil du couple et savoir vos enfants à coté est difficile quand ils vous manquent. Nous avons aussi choisi de réduire notre mobilité et donc de limiter éventuellement notre liberté de mouvement ou, au minimum, de réduire nos évolutions professionnelles.

Si je devais faire un bilan cinq ans après, et comparer aux parents éloignés que je vois, je dirais cependant sans hésiter que vivre l'un près de l'autre est la meilleurc solution quand c'est réalisable.

Pour revenir à votre déménagement, je vous invite à ne pas chercher une solution rapide de dépannage en vous disant que vous re-déménagerez sous peu. L'expérience montre que le logement occupé après la séparation est stable pour au moins quelques années. En effet, le temps nécessaire au partage des biens, à la vente éventuelle de votre maison ou à la redistribution du capital demande quelques mois. Vous n'allez pas vous jeter une seconde fois sur un bien immobilier, à acheter ou en location, sans bien peser les avantages et le premier déménagement est assez pénible pour que l'on veuille souffler un peu.

Je vous conseille plutôt de choisir de suite un logement pour deux ou trois ans. Cela impose de ne pas vous décider trop vite non plus car beaucoup d'évènements peuvent survenir durant ce laps de temps : changer le mode de garde des enfants, vous stabiliser et vous reconstruire, rencontrer quelqu'un d'autre ou vous installer avec celui ou celle qui vous a fait flasher…

Il vaut donc mieux se sentir très bien chez soi car cela participe à la guérison.

Faites vous plaisir en choisissant des meubles et une décoration qui vous plaisent vraiment. Puisque vous n'êtes plus obligé(e) de supporter les meubles issus de votre ex-belle-famille, profitez-en pour n'acheter que ce que vous aimez !

Soyez vous-même et faites-vous l'intérieur de vos rêves, celui que vous n'aviez jamais pu aménager parce que vous ne choisissiez pas seul(e).

Attention, si vous êtes limité financièrement et que vous devez tout acheter, y compris une voiture, pensez à calculer au plus juste : ce n'est pas le moment de vous enfermer seul(e) dans la situation d'un(e) surendetté(e) et votre faible pouvoir d'achat peut empêcher tout loisir pour de longs mois.

Dans ce dernier cas, ce sera difficile de remonter la pente si vous déprimez un peu, ce qui est normal dans le cycle de gestion d'un changement important non souhaité.

CHAPITRE VI

Quelques éléments historiques et inévitables statistiques

Pour faire très simple, disons que le divorce a évolué au même rythme que l'emprise de la religion sur l'État.

Rupture juridique de l'union conjugale, le divorce est déjà cité dans la Bible, assorti de réserves.

Mais les Évangiles en refusent l'idée, sauf en cas d'adultère ou de non consommation, et donc de faute, car le mariage est un sacrement. Le principe est l'indissolubilité.

Il est probable qu'il s'agissait en partie d'une réaction à l'abus des Romains. Car ceux-ci avaient accès au divorce par consentement mutuel, mais utilisaient beaucoup le divorce-répudiation ! Ce dernier était à sens unique, au profit du mari qui disposait ainsi de sa femme et la jetait dès qu'il le souhaitait.

Le divorce réapparaît vraiment avec la révolution. Les philosophes et les humanistes y sont favorables et développent des idées nouvelles : pouvoir casser le mariage permettra de relancer la natalité ; il faut supprimer ce pouvoir de la religion sur l'individu ; le mariage n'est qu'un contrat qui doit pouvoir trouver une fin...

Ainsi, après quelques années, un mariage urbain sur trois finira par une séparation légale.

Le retour de la monarchie, en 1816, restaure la religion d'État. Le divorce, « poison révolutionnaire » est de nouveau interdit, et le mariage redevient indissoluble.

Ce n'est qu'après l'instauration de la 3ème république que Naquet reprend, en 1884, l'idée de mariage-contrat. Malgré la séparation de l'Église et de l'État, en 1901, la loi ne changera pas notablement durant près d'un siècle (sauf durant la seconde guerre mondiale). Une procédure, assez simple, mène les époux au tribunal et, après une tentative de conciliation, le juge décide du bien fondé de la demande et déclare le divorce aux torts de l'un ou des deux conjoints. Puisqu'il s'agit de torts, il fallait trouver des fautes, à prouver par l'un ou les deux demandeurs, ce qui ne manqua pas de créer des situations tantôt tendues, tantôt burlesques en cas d'arrangements entre les époux.

Dans le cadre des modifications du droit familial, après 1968, la loi du 11 juillet 1975 intègre enfin la notion de divorce par consentement mutuel. Dès lors, il n'est plus obligatoire de prouver, ou d'inventer, les fautes de son conjoint.

L'évolution du nombre de divorces, qui s'accélère déjà depuis 1965, ne cesse alors de grimper.

Il y a 270 à 290 000 mariages en France chaque année et l'âge moyen lors du 1er mariage est maintenant de 31 ans pour les hommes, et 29 pour les femmes (5 ans de plus qu'en 1980 !).

En effet, certains jeunes quittent le foyer parental plus tard (allongement des études et de la recherche du premier emploi). Par ailleurs, la cohabitation prénuptiale, le concubinage, augmente depuis 1970, couvrant la baisse du nombre de mariages.

Le nombre de couples non mariés est monté de 446 000 en 1975, à 2,4 millions en 1998 (dont 1,3 sans enfant). Leurs enfants représentaient 11 % des naissances en 1980, pour 50 % en 1998, et ne justifient plus le mariage, ne serait-ce que civil. En 1996, 112 000 enfants ont cependant assisté à l'union de leurs parents.

Aujourd'hui, un couple marié sur deux divorce en région parisienne, et un sur trois en province.

Pour 275 000 mariages en 2003, il y avait 125000 divorces, plus les séparations de couples non mariés (12,5 % des couples en 1990, en constante évolution). 43 % des divorces ont lieu entre la 3ème et la 10ème année de mariage, soit en moyenne lorsque les époux ont entre 33 et 40 ans.

Tout cela représente, pour le mariage, une baisse de près de 40 % en 20 ans, et pour les divorces une hausse de 100 %.

En 2000, seuls 10 % des enfants dont les parents ont divorcé avant 1990 voyaient encore leurs pères !

En 1994, le remariage de l'un au moins des époux représentait plus de 20 % des unions civiles, pour 8 % en 1974. Cependant, le pourcentage de divorcés qui se remarient (20 à 25 % d'entre eux) est en baisse, au profit donc de l'union libre, du célibat, ou du foyer monoparental.

Rappelons que la majorité des femmes, s'il y a des enfants (66 % des cas), continuent à habiter le même lieu. Elles ont en général le droit de garde (85 %) et perçoivent une pension alimentaire (79 %). Par ailleurs, dans 73 % des cas, ce sont elles qui ont demandé le divorce.

J'ai quarante-quatre ans et je suis divorcé depuis 6 ans après 13 années de vie commune. Mes deux filles ont actuellement 16 et 14 ans.

Je suis donc en plein dans les stats ! Est-ce rassurant ?

Dans ma bulle maritale, comme c'était peut-être votre cas, je n'imaginais pas et je ne connaissais rien de la vie après. J'ai été sincèrement très surpris de savoir que ce phénomène est si important, puis de rencontrer des milliers de séparés et de divorcés.

Très peu d'amis de mes parents se sont séparés et j'avais moi même la certitude d'être marié pour la vie.

Quand j'ai commencé à remonter la pente, j'ai été effaré de voir que tant de célibataires de plus de trente-cinq ans et tant de monoparentaux m'entouraient. Je faisais un bond à chaque fois que j'apprenais que telle ou telle personne que je connaissais était divorcée. Ah bon, elle aussi !

Sachez donc que nous sommes des centaines de milliers à nous séparer chaque année, rien qu'en France, et que vous êtes loin d'être un cas isolé !

Je me suis aussi rendu compte que si des lieux virtuels existent, il manquait des lieux physiques où se retrouver. Les bals ont presque disparu, les boîtes ne sont pas toujours propices aux sorties en solitaire ou aux discutions et les foires aux célibataires me répugnent pour leur coté « tête de gondole ».

CHAPITRE VII

La période des doutes

Il est finalement assez rare que l'un des deux membres du couple parte tout d'un coup sans que l'autre n'ait vraiment rien vu venir.

En général, les relations se détériorent peu à peu. Chacun finit par admettre que les relations sont tendues ou conflictuelles et que la vie en commun devient bien difficile.

Certains se mettent la tête dans le sable ou se réfugient derrière des principes d'éternité…

D'autres, pour des raisons sociales, familiales, financières ou pour les enfants vivent toujours sous le même toit mais ont des vies séparées.

Les derniers sont pris de doutes et se demandent quels sont les bons choix.

Cette période est difficile car celui qui est la proie du doute vit les montagnes russes entre espoir de « recoller les morceaux » et crainte ou certitude qu'il n'y a plus suffisamment d'Amour pour cela.

Nous devons bien admettre que lorsque nous avions juré, devant le maire et/ou le curé, que c'était pour la vie, nous y avions cru car nous le souhaitions.

Se séparer, c'est parjurer cette promesse solennelle et cela n'est pas facile à admettre ni à faire !

Au-delà, la séparation est la mort du couple et de l'idéal qu'il représente : nous sommes bercés de publicités, de récits et de principes d'éducation qui nous indiquent que la réussite sociale impose la constitution d'une famille avec 2 parents, 2 enfants, une maison, 2 voitures et 1 chien…

Durant des années, nous avons travaillé et nous nous sommes battus pour construire cet idéal qui s'effondre. Nos relations avec nos amis se sont faites au rythme des naissances et des déménagements. Nos parents ont intégré une tierce personne devenue peu à peu membre à part entière de la communauté familiale.

Bref, casser tout cela ne va pas être facile à digérer !

Je profite de votre attention pour m'élever contre une phrase que j'ai si souvent entendu : « Se séparer, c'est une fuite et c'est lâche ! ».

Il faut peut-être l'avoir vécu pour se rendre compte que se séparer n'est pas facile et que, au contraire, c'est souvent la volonté de ne pas mettre fin au petit confort du foyer qui incite l'un ou l'autre à avoir une double vie !

Je connais ainsi un couple qui fait bonne figure et reçoit régulièrement ses amis dans un appartement cossu des environs de Lille alors qu'il n'y a plus l'ombre d'une once d'Amour entre eux, selon le mari. Il est vrai qu'ils ne se parlent presque plus et qu'il est impossible de les voir s'échanger une simple tendresse. Est-ce qu'ils vivent ensemble seulement pour la galerie ? Comment peuvent-ils être heureux ?

Les personnes qui se séparent ou divorcent ressentent des sentiments aussi difficiles à gérer que la culpabilité, la honte, la peur... auxquels s'ajoutent les soucis matériels et financiers.

La culpabilité est forte car vous cassez une promesse que vous vous êtes faite à vous-même autant qu'à l'autre, à la société et aux représentants religieux.

Vous culpabilisez aussi d'imposer vos difficultés de couple et vos choix à vos enfants qui sont innocents. Vous portez la responsabilité de la séparation face à vos amis, à vos parents qui ont tous cru en vous...

La honte de l'échec vous envahit car toutes ces années à travailler pour l'achat de la maison et pour l'éducation des enfants sont finalement sanctionnées par un retour à la case « départ » avec vente ou partage des biens communs.

Enfin, la peur de se tromper, de faire le mauvais choix, de l'inconnu, de la réaction des enfants et des proches va contribuer à vous mettre dans un état second de pré-dépression que seuls le temps et/ou un accompagnement spécifique peuvent vous aider à surmonter.

Cette période est celle des discussions ou des disputes avec votre conjoint ou partenaire. Un sentiment de gâchis va aussi vous tenailler : soit vous regrettez qu'un Amour aussi pur que celui que vous avez vécu ensemble finisse comme cela, soit vous vous demandez comment vous avez pu vous unir à une personne si éloignée de vos centres d'intérêt !

Les conseils contradictoires de vos amis ne vous rendront peut être pas service mais contribueront à vous mettre dans le brouillard total…

Comme votre partenaire ressent votre malaise ou en est la cause, vos évolutions sont bien souvent parallèles et les rapports finissent par la recherche de solutions parmi lesquelles la séparation a sa place.

Si le divorce pointe le bout de son nez, relativisez et prenez du recul : ce n'est pas la fin du monde !

Beaucoup n'ont pas cette chance de pouvoir se demander comment ils vont aménager leur nouveau home sweet home.

Le divorce est la fin d'une aventure de couple mais n'est pas la mort de votre famille, et encore moins un échec. Même si vous êtes le demandeur, digérer va prendre du temps mais beaucoup d'autres ont réussi. Alors vous y arriverez aussi.

Profitez de ce temps de solitude amoureuse pour dégager des enseignements de votre histoire.

Qu'est ce qui n'a pas marché ? Les raisons sont rarement d'un seul coté.

En quoi cette relation ne vous convenait plus ? Que souhaiteriez vous dans l'avenir ? Quels sont vos choix essentiels de vie ?

Y'a-t-il des frustrations, des points à débloquer rapidement ? Comment ?

La décision est prise ? Assumez-la et ne regrettez plus. Ne culpabilisez pas.

Il faut maintenant avancer et construire. Ne perdez pas de temps, une nouvelle vie vous attend !

CHAPITRE VIII

Gestion du changement, Pyramide de Maslow et stress

Pour comprendre les mécanismes qui risquent de vous broyer momentanément, il faut connaître un peu la courbe du changement, la pyramide de Maslow et lcs causes du stress :

1. Changements voulus ou subis :

Les conséquences d'un changement ont été largement analysées et sont assez connues :

Soit le changement est désiré, par exemple changer de voiture ou de coupe de cheveux, et vous l'intégrerez tellement vite que vous en oublierez comment était votre vie avant, soit ce changement n'est pas désiré.

Admettons que la séparation n'est en général souhaitée par aucun membre du couple au moment de l'union !

Dans le cas du changement subi, les choses se compliquent.

En effet, vous allez passer par différentes phases, plus ou moins sévères et longues, selon la cause et la personne :

• **Le Refus de comprendre** : « Comment en sommes-nous arrivés là ? », « Comment ai-je pu faire cette erreur ? », « Mais pourquoi fait-il cela ? »...

• **La Résistance** : « Puisque c'est comme ça, je vais l'ignorer ! », « Je ferai tout pour que ça rate ! », voire : « Je vais lui faire payer ça »... Dans le cas des séparations, la résistance peut entraîner le refus de payer une pension, ou l'enlèvement des enfants, par exemple.

• **La Décompensation ou Dépression** : « J'en ai assez, rien ne va normalement », « Je ne veux plus voir personne, je n'ai plus goût à rien »... Cette situation, exacerbée, peut aller, chez certains, jusqu'à la tentative, réelle ou non, de suicide.

• **La Résignation** : « De toute façon, je n'ai pas le choix », « Il faut bien continuer à vivre »...

Passer du stade de la dépression à la résignation n'est pas systématique. Il est fréquent, dans le cas d'un décès notamment, de rester bloqué toute sa vie entre le refus de comprendre et la dépression.

• **L'intégration** enfin : « C'est le passé ». Le changement est finalement accepté. La personne « fait le deuil » de la situation précédente et recommence à construire l'avenir, à faire des projets.

Souvent, durant les deux premières phases, vous en parlez à tout le monde et ne pensez plus qu'à ça (et vous cassez les oreilles des autres !).

Que vous subissiez un changement non souhaité ou que ce soit quelqu'un de votre entourage, gardez à l'esprit ce cheminement car cela vous permettra de mieux comprendre les réactions et de mieux y faire face !

Ceux qui se séparent indiquent en général que le cycle complet prend au total plus d'un an !

Plusieurs mois, voire années, s'écoulent en effet entre la dégradation de la relation, la décision et la fin de la procédure. De plus, chaque rendez-vous chez l'avocat ou au tribunal, le déménagement, la perte des références religieuses ou sociales, la séparation des enfants sont autant de changements non désirés, créant chacun un cycle. Une succession de cycles plus ou moins forts a lieu.

Comme la procédure juridique, à elle seule et si tout va bien, prend quelques mois : faites le compte !

2. La pyramide de Maslow :

Maslow (1916-1972) a fondé entre 1954 et 1970 la théorie de sa pyramide sur des constats.

Nous pouvons en retenir, pour faire simple de nouveau, les éléments suivants :

Tout être humain a des besoins et ceux-ci sont hiérarchisés. Une fois que l'un d'entre eux est satisfait, il peut chercher à combler le suivant, dans un ordre précis, et croissant :

• Besoins physiologiques : se nourrir, se vêtir, se reposer, être en bonne santé, avoir des rapports sexuels.

• Besoins de sécurité : assurer sa sécurité physique et financière, rechercher la sécurité d'emploi, s'assurer pour l'avenir, épargner…

• Besoins sociaux : faire partie d'une famille, d'un groupe, d'une communauté. Aimer, être aimé…

• Besoin d'égo : être reconnu (dans le groupe) en tant qu'individu. Être considéré ou puissant.

• Besoin de dépassement de soi : donner un sens à sa vie, contribuer à la réalisation d'une œuvre, d'une idée. Se dépasser sans volonté de prouver aux autres…

Maslow a analysé que l'on ne peut progresser que si le besoin précédent est solidement assouvi. Il a déterminé aussi que la non satisfaction de l'un de ces besoins entraîne le retour au précédent.

Étudions un peu la situation des séparés vue par le prisme de cette pyramide :

Il devient facile de comprendre que la personne qui se retrouve seule après en avoir perdu l'habitude va complètement changer son comportement.

Notre séparé(e) va avant tout se trouver un toit, des meubles, de quoi se nourrir et dormir. Sans difficulté financière, ce qui n'est pas général, ces questions matérielles peuvent être résolues « facilement ».

En cas de difficultés financières, ça peut vite virer au drame. Les associations caritatives ont toutes remarqué depuis quelques années que le nombre de séparés, de divorcés et de foyer monoparentaux sont de plus en plus nombreux à faire appel à l'aide sociale, en particulier dès de début de l'hivers. La séparation des parents entraîne globalement une paupérisation reconnue.

Le besoin suivant est un peu plus compliqué à combler car par sécurité, nous pouvons entendre ici contrat et pensions, changement des assurances pour les biens et les personnes, couvertures santé et décès (qui prennent encore plus d'importance s'il y a des enfants) mais aussi sécurité physique en cas de litiges dans le couple, sécurités morale et psychologique...

J'ajoute que le sentiment de sécurité est particulièrement subjectif et que certains ne le sont, par exemple, que par des papiers signés quand d'autres se satisfont d'un accord oral.

Je reviendrai plus loin sur cette pyramide des besoins et sur son influence.

3. Le stress

Dans l'échelle des causes de stress viennent en premier le deuil, la séparation, le licenciement et le déménagement.

Il est donc compréhensible que la séparation, et le déménagement cumulés qui en découle en général, soient à l'origine d'un stress particulièrement intense.

Sans a priori, les statistiques indiquent que c'est plus souvent l'homme qui déménage, se retrouve dans un nouveau lieu, sans repère et sans histoire, et séparé de ses enfants. Le stress est alors logiquement plus fort pour lui.

Pour rappel : le stress est constant chez l'être humain, comme la température, mais il y a des hausses en cas de pressions extérieures plus intenses. Le corps sécrète alors des hormones, dont l'adrénaline et la cortisone, ce qui entraîne certains comportements : angoisses, obsessions, phobies, consommation excessive de café ou d'alcool...

Attention : le stress peut tuer et cela arrive de temps en temps au Japon, en particulier !

Le Karoshi (littéralement « mort par surtravail ») désigne la mort subite de cadres ou d'employés de bureau par arrêt cardiaque suite à une charge de travail ou à un stress trop important. Le karoshi est reconnu comme une maladie professionnelle au Japon depuis les années 1970. *Source : Wikipedia.*

Deux conseils :

– Le 1er risque me semble d'oublier les enfants quand il y en a. Je ne parle pas des cas où ceux-ci sont pris à parti, servent d'otages ou seulement sont témoins de disputes, car il est difficile de pouvoir réparer ces dégâts rapidement.

Mais, même dans les séparations amiables, les enfants doivent vivre leur propre cycle du changement, et faire leur deuil d'une situation qu'ils n'ont pas choisi de changer. Ils sont autant sujets au refus de comprendre, à la résistance...

Ne pas en tenir compte, ne pas analyser les réactions et soutenir ces enfants, revient à hypothéquer leurs chances d'équilibre, leurs succès scolaires, leurs propres références sociales...

Soyez attentif à tout contrecoup de leur part.

– Le 2ème danger évident c'est que, durant cette période de stress et de cycles, votre entourage personnel, mais aussi professionnel, peut être fortement perturbé. Si la séparation est très conflictuelle, avec demande de divorce pour faute par exemple (obligation de fournir des preuves, des attestations), il est même fréquent d'assister à l'explosion du cercle relationnel du couple.

Ne vous imaginez pas que votre stress et votre résistance aux changements n'auront pas d'impact au travail.

À moins que vous n'ayez que de faibles contacts avec autrui, les conséquences peuvent être dramatiques si vous rencontrez des clients, des fournisseurs ou, par exemple, si vous managez des projets ou du personnel.

Le problème, c'est que si vous « disjonctez » au travail + en dehors, vous risquez de tout casser en même temps.

Comme nous l'avons vu, si vous rajoutez le licenciement aux stress précédents, il vous faut devenir surhumain pour résister.

CHAPITRE IX

L'après séparation

Nous savons que, contrairement à ce qui se passait avant les années 1970, ce sont les femmes qui demandent le divorce dans 73 % des cas.

Alors que l'on se séparait, rarement et pour vivre de suite une nouvelle histoire, les femmes prennent maintenant la décision (les hommes ne savent peut être pas la prendre ?) pour changer de vie mais aussi pour s'installer seules.

Bref, dans la majorité des cas, les femmes quittent les hommes parce qu'elle ne sont pas heureuses avec eux mais pas forcement pour mieux. Elles assument leurs choix et trouvent la liberté de gérer leurs vies comme elles l'entendent.

De toute façon, ce sont les deux partenaires qui vont, chacun de leur coté, découvrir une nouvelle vie.

Dès que vous vous sentez bien logés, bien nourris et en sécurité, vous trouvez d'autres repères, des chemins différents, une toute nouvelle organisation…

Dans le cas des couples sans enfants, il s'agit d'une nouvelle vie, plus ou moins momentanée, de célibataire.

Si le couple a mis au monde une progéniture, un partage va probablement avoir lieu : Les enfants un week-end sur deux, plus la moitié des vacances ou la garde alternée, de plus en plus demandée et pas forcement si traumatisante qu'on a pu le lire. (Selon la majorité des experts, la résidence alternée, lorsqu'il n'y a pas de conflit et dès que les enfants ont passé l'âge de 6 ou 7 ans et n'ont plus le besoin d'un attachement sécurisée à leurs mères est une bonne solution lorsque les deux parents jouent leurs rôles respectifs).

Le parent qui n'a pas la garde va se trouver très disponible et l'autre un peu moins. De chaque côté, en tout cas, la vie va se rythmer de nouveau : travail, enfants, loisirs…

Au moins, temps d'activités intenses et de repos vont se succéder, et occuper aussi l'esprit.

Les séparés retrouvent en général sous quelques mois le goût de la vie : Les promenades et câlins avec les enfants jouent un rôle tout particulier. Ils nous attachent au passé mais sont porteurs d'avenir. Nous souhaitons leur bonheur et ils savent nous le rendre si nous ne leur mettons pas le poids de la séparation sur les épaules.

Il y a aussi ce plaisir oublié de faire, lorsqu'on est seul(e), ce que l'on veut, quand on le veut et comme on le veut : la liberté totale !

Vous sortez du bureau et allez vous promener au café de Paris sans rendre de compte. Vous profitez des soirées foot ou papotage sans vous soucier de la fatigue de l'autre. Vous pouvez regarder le film que vous voulez dans votre chambre ou zapper toute la soirée. Vous n'aurez pas de reproche si vous vous épilez les jambes au milieu du salon en écoutant à fond de la musique. Vous laissez traîner chaussettes ou assiettes et vous rangez quand ça vous chante. Vous remplissez le frigo de produits dont vous rêvez depuis longtemps. Vous n'avez pas à négocier telle séance de cinéma ou tel restaurant…

Vous pouviez le faire auparavant ?

Mais cette liberté a un prix car vous allez assumer de nouveau seul(e) les charges fixes et vous devrez faire face seul(e) à toutes les tâches ménagères. J'entends d'ici certaines femmes ricaner que cela ne changera pas mais, la poubelle, c'est presque toujours les hommes qui la sortent. Maintenant ce sera vous aussi !

Malheureusement, un logement assumé seul, les impôts locaux et taxe d'habitation, les abonnements ne vous feront pas rire longtemps.

Si vous n'avez pas la garde de vos enfants, vous serez taxé comme un célibataire. Même si le montant de votre pension est déduit, vous allez vite comprendre la différence car l'état se moque bien que vous deviez avoir une chambre supplémentaire et que vous nourrissiez vos enfants le week-end et pendant les vacances.

Et toutes les dépenses d'avocat, de notaire, d'installation, les abonnements et charges fixes supportent leurs TVA !

La séparation est la 2de période la plus dépensière après le mariage !

Votre niveau de vie va donc chuter, chuter, chuter… en moyenne de 30 %.

Je rappelle qu'il y a des enfants à charge dans 66 % des cas de séparation et que la mère en a la garde 8,5 fois sur 10.

Femme seule avec enfants est un facteur certain de paupérisation et de dépendance financière. Cette population est moins absentéiste, moins revendicatrice et démissionne moins que la moyenne de la population. Les employeurs le savent bien.

Vous avez donc sacrement intérêt à bien calculer votre budget et à ne pas trop vous laisser tenter par les crédits à la consommation trop faciles qu'il faut bien, ensuite, rembourser.

Les monoparentaux qui veulent s'en sortir doivent faire preuve de beaucoup de courage et d'organisation. Il faut travailler comme chacun, s'occuper seul(e) des enfants, des devoirs, des courses, des repas, du ménage, du budget, des relations avec les tiers… Bref, la journée commence avant 7 h et finit après 21 h. Et pas une minute pour souffler si vous avez des enfants jeunes !

Je suis sincèrement admiratif de voir tous ces parents, souvent des femmes mais aussi de plus en plus des hommes, qui se donnent et s'oublient pour que tout soit le mieux possible à la maison.

Quand on sait que ces foyers souffrent en plus d'une fiscalité négative, il faut vraiment en vouloir !

Les parents qui adoptent la résidence alternée, lorsque les enfants en ont l'âge et que la situation géographique et les relations familiales le permettent, font un choix qui me semble un excellent arrangement.

Dans ce cas, comme dans celui du parent qui n'a pas la garde de ses enfants en semaine, la fiscalité est tout de même injuste.

Comment trouver normal qu'un parent qui doit avoir un grand appartement, qui doit posséder une voiture, qui nourrit ses enfants 1 we sur deux et pendant les vacances soit imposé comme un célibataire qui vit chez ses parents et n'a absolument aucune charge ?

Sous prétexte de favoriser la famille traditionnelle, pénalise t-on ceux qui se séparent ?

Je ne compte plus le nombre de femmes que je rencontre qui sont en situation délicate parce qu'elles avaient cessé de travailler pour s'occuper de leurs deux ou trois enfants et qu'elles n'avaient pas bien évalué le poids des dépenses ou le montant de la pension qui serait versée.

Et je suis fréquemment sollicité par des femmes qui me demandent comment faire réévaluer cette pension.

Ah, cette fameuse pension !

1/3 est payée régulièrement, 1/3 irrégulièrement et 1/3 jamais.

Mais je me garderai bien de porter un jugement sur ce point car il n'est pas possible de prendre position à l'emporte pièce tant de nombreux cas existent.

Pour ma part, il me semble normal de participer à l'éducation de mes filles et un virement automatique me libère de devoir en parler chaque mois ou de l'oublier.

Le montant a été fixé à 18 % de mon salaire net au moment du divorce, ce qui semble être la moyenne au tribunal de Lille pour 2 enfants.

Il faut cependant faire assez attention car une fois le loyer, les impôts, la nourriture et les charges payées, il ne reste pas grand chose. Je connais des dizaines de personnes qui n'épargnent plus du tout et sont à la merci du premier problème venu ou ne peuvent pas faire réparer une machine ou une voiture en panne.

Des pensions ne sont pas payées parce que des pères ne respectent pas leurs engagements vis à vis de leurs enfants mais certains ont des montants exorbitants à honorer alors qu'ils sont maintenant au chômage ou en pré-retraite sans pouvoir demander une ré-évaluation.

Je connais une femme qui vit royalement dans la maison du couple, sans travailler, après avoir mis son mari dehors, et qui perçoit 2 000 euros de pension pendant que lui se débat pour joindre les 2 bouts. Le cas contraire existe aussi, bien entendu.

La question de la pension est toujours très délicate. Avec la garde et l'éducation des enfants, c'est le sujet qui divise le plus car les anciens partenaires ont des intérêts divergents si chacun ne pense pas essentiellement à ceux des enfants.

Quand le montant de la pension, le partage des biens et la garde des enfants sont totalement réglés, il n'y a en général plus de discorde.

Il faut donc aussi une bonne organisation après divorce, surtout avec la garde de jeunes enfants et un travail à l'extérieur.

Tant que l'habitude ne sera pas prise, vous vivrez des déchirements désagréables à chaque fois que vos enfants iront chez son autre parent. Tous les âges ont leurs réactions délicates : je me souviens de mes filles regrettant essentiellement de ne plus voir leurs 2 parents en même temps ; Les filles adolescentes d'une copine ne veulent plus aller chez leur père car cela les éloigne de leurs amies ; un père dont le fils vit à 1 000 km et qui ne le voit que 2 fois par mois a du mal à renouer une relation conviviale avec lui en moins de 24 heures et est saigné à vif lorsqu'il faut déjà l'accompagner à l'aéroport le lendemain de son arrivée.

Quand je me retourne, je constate qu'il m'a fallu 12 mois pour me relever alors que notre couple ne s'est pas déchiré ; que le temps nécessaire au jugement n'a duré que onze mois ; que nos amis et notre famille n'ont pas ou peu été impliqués ; que nous vivons près l'un de l'autre et nous voyons souvent ; que je paie la pension de mes filles ; que j'ai de nombreux amis, une famille proche ; que mes filles ont des grands-parents, des oncles et tantes adorables ; que j'ai un travail et mon ex-femme aussi…

Je croise chaque semaine des personnes dont les procès durent des années, qui ne voient plus leurs enfants…

Je peux m'estimer très heureux !

Je dois reconnaître que le père qui a ses enfants régulièrement sans en avoir la garde, chaque mercredi soir pour ma part plus 1 week-end sur 2 et la moitié des vacances, retrouve quand même beaucoup de temps à lui pour ses passions ou pour sortir. Au total, je dispose de 20 soirées par mois !

Ceux qui n'ont pas d'enfants en ont plus encore…

Mais, que faire de tout ce temps ?

Une fois passée la période plus ou moins longue de décompression décrite dans le cycle du changement, vous pouvez utiliser ce temps à bon escient.

Si vous avez des enfants à charge et peu de moyens, vous pourrez sûrement trouver une autre mère seule ou de la famille, si elle n'est pas trop éloignée, pour échanger quelques gardes.

La proximité d'une agglomération va aussi guider vos activités car, dans le cas contraire, il vaut mieux vous acheter un lecteur de DVD pour éviter de trop subir les programmes TV !

Certaines de mes relations se sont mises à la peinture, à la sculture ou au sport. Un autre devient philosophe et une amie s'est découverte une passion pour Internet. Quelques-uns retravaillent sur des projets jamais aboutis de voyage, de mission humanitaire ou de développement personnel. Beaucoup, libérés des obligations et de la routine passées deviennent simplement eux-mêmes ou rattrapent du temps perdu. Certains s'éclatent comme jamais...

Internet permet à ceux qui ont les moyens d'y accéder de trouver des pistes toujours plus précises vers leurs centres d'intérêt.

L'âge de la séparation et l'expérience cumulée qu'elle apporte vous permettent aussi de prendre du recul, si vous n'êtes pas empêtré dans les problèmes financiers. Vous accédez alors à une sorte de sagesse, de détachement qui en fera basculer quelques-uns vers une recherche spirituelle approfondie.

La sérénité du silence, la tranquillité de la solitude n'ont pas d'égal. Mais cela peut aussi devenir vraiment pesant s'ils durent toujours !

CHAPITRE X

Qui sont les nouveaux célibataires de + 35 ans ?

L'INSEE, qui a déjà fourni la majeure partie des chiffres précédents, indique qu'il y a en France 18 millions de célibataires au sens large, c'est-à-dire avec les concubins, les pacsés… qui ne sont pas mariés et les jeunes célibataires qui vivent chez leurs parents. Elle a chiffré aussi que 7 millions de personnes vivent seules dans leur logement (25 %), ce qui ne tient pas compte des foyers monoparentaux.

Après analyse et recoupements, ce serait environ 30 % des 31 millions de foyers qui seraient occupés par une personne seule ou avec ses enfants, soit 10 millions de personnes. il y aurait environ 7 millions d'adultes « célibataires » entre 35 et 60 ans.

Globalement, il y a plus de femmes seules que d'hommes car, s'il y a plus de naissances masculines, la mortalité est plus précoce chez l'homme. D'où une espérance de vie plus longue pour les femmes (84 ans pour 77).

Il y a donc beaucoup de femmes âgées seules.

Les hommes vivant seuls sont nombreux en zone rurale alors que les zones urbaines accueillent plutôt les femmes seules.

Les jeunes célibataires qui n'ont pas encore fondé une famille vivent une triple pression : celle des hormones qui poussent à la conception d'une famille, celle de la société et de la famille qui vénèrent le couple puis les naissances et enfin la crainte fréquente de la solitude.

Pourtant, l'accroissement du nombre des nouveaux célibataires va de pair avec l'augmentation inexorable et régulière du nombre des séparations (après une expérience de vie commune).

❁

À 25 ans, 80 % des filles étaient mariées en 1945. Elles sont maintenant une petite minorité et le mariage ne marque plus le passage à l'âge adulte.

Les jeunes adultes se réalisent personnellement et professionnellement avant de concevoir un foyer familial et cette quête n'est plus essentielle. Le fait que les femmes travaillent leur donne aussi une autonomie qui leur évite de chercher à se marier tôt. Les moeurs, enfin, ont changé et il est possible d'avoir une vie célibataire épanouie avant le mariage, ce qui était inconcevable il y a encore 50 ans.

D'ores et déjà, Paris compte plus de célibataires que de personnes en couple et le phénomène se répand dans les grandes métropoles.

Il y a une grande différence entre les célibataires qui repoussent l'âge de la vie en couple, mais espèrent en général rencontrer celui ou celle avec qui ils fonderont un foyer heureux, et les nouveaux divorcés qui viennent de diviser leurs capital en deux pour partir, chacun de leurs cotés, vivre une nouvelle expérience.

Il faut tenir compte du fait que les couples ne se séparent plus parce que l'un des deux a un amant ou une maîtresse. Dans 80 % des cas, ceux qui se séparent n'ont pas d'aventure extra-conjugale et font surtout le choix de ne plus vivre ensemble.

Il apparaît de plus une tendance à mener plusieurs vies de famille au sein de plusieurs couples qui, dans le meilleurs des cas, sauront cohabiter tout au long de la vie adulte, comme il est fréquent de mener plusieurs carrières professionnelles.

Il y a succession de vies célibataires et maritales ou en concubinage avec des familles recomposées qui forment des ensembles de noyaux autour desquels gravitent pièces rapportées et enfants de parents divers.

Nous voyons donc depuis 40 ans une évolution majeure dans la composition de la société et des foyers.

Même si le modèle reste le couple, voire la famille « 2 + 2 », les célibataires s'assument de plus en plus et ne sont plus prêts à tout pour se caser. Après une période de vie commune, ils savent même plutôt ce qu'ils veulent et ne veulent plus, ce qui peut rendre leurs critères de choix plus difficiles !

Attention, ce nouveau comportement n'est pas la conséquence d'un individualisme exacerbé mais d'une volonté de vivre à deux sur un modèle différent.

La succession de séquences de vies conjugales est accompagnée d'histoires d'amour très fortes, intenses et vécues à 200 % !

C'est le couple qui est le centre de la relation et non la famille. Il convient donc de rester vigilant aux attentes des enfants, quand il y en a, pour qu'ils ne soient pas les simples spectateurs oubliés d'un ballet au sein duquel ils n'auraient aucune place.

Pourtant, le nouveau célibataire va parfois jusqu'à se poser la question de l'intérêt de la vie de famille.

La solitude choisie et le fait de ne pas être contraint donne une liberté quasi totale à ceux qui ont du pouvoir d'achat et en profitent pour voyager ou vivre des aventures amoureuses sans engagement, ce qui arrange parfois les deux partenaires.

Des clubs, des prestataires de service, des voyagistes, des sites internet mais aussi des res taurants, des supermarchés et des industriels ont bien compris les attentes de ces consommateurs et tentent d'y répondre au mieux.

La rédaction web des *Échos* a abordé le 9 septembre 2005 une étude TNS Secodip sur les comportements d'achat de ces célibataires de + 35 ans. « Résultat : beauté, forme, soin du corps et... entretien du linge constituent leurs segments préférés. »

Ainsi, les femmes surconsomment les produits de maquillage (+ 20 %), de coloration (+ 15 %) et de soins pour les cheveux (+ 12 %), mais aussi de produits pour le corps. « On note un souci de paraître et de plaire. Ces femmes sont préoccupées par leur apparence et l'aspect extérieur des choses », dit Isabelle Kaiffer, de TNS Secodip.

Côté alimentation, leur spécificité concerne en particulier les compléments alimentaires, consommés deux fois plus que dans les foyers traditionnels, traduisant là encore un souci porté à l'apparence. Elles achètent également plus de jus de fruit frais, de substituts de repas, de barres céréalières et consomment moins de corps gras. Enfin, elles préfèrent le thé au café. Le temps passé en cuisine étant réduit, « en raison notamment de la difficulté à partager les tâches et du nombre plus important de femmes qui travaillent à temps plein (83 % contre 64 % pour les autres familles) », elles achètent plus de produits alimentaires nécessitant peu ou pas de cuisine, ou que les enfants peuvent consommer lorsqu'ils sont seuls. Au palmarès, pizzas et plats cuisinés frais (+ 16 %), salades préparées en conserve (+ 23 %), plats déshydratés (+ 32 %), steaks hachés surgelés (+ 25 %) mais aussi pain de mie pour sandwichs. « Autre segment où elles se distinguent : celui des aliments pour animaux. 41 % de ces familles possèdent un animal de compagnie, contre 33 % pour les autres foyers. »

Par ailleurs, cette population fréquente trois fois plus les restaurants et cinémas que la moyenne française.

Il est donc très net que ces célibataires ont besoin de gagner du temps, de plaire ou de se tenir en forme et de trouver hors domicile des loisirs pour occuper ou utiliser le temps disponible.

Les publicitaires, en particulier pour les plats cuisinés, commencent à oser montrer des célibataires ou des monoparentaux sur le point de recevoir.

CHAPITRE XI

La solitude

Si vous n'êtes pas parti(e) pour un(e) autre et à moins de devenir un pilier de bar, vous allez aussi connaître quelques longues soirées sans parler ou à pianoter sur votre clavier pour des correspondances virtuelles sur Chat ou sur BAL. Vous allez quitter un dîner chez « les-amis-qui-ne-vous-ont-pas-laissé-tomber » pour vous glisser dans un lit bien froid et à réchauffer tout(e) seul(e).

Vous allez apprendre, à vos dépens, que planter le bon clou ou laver-sécher le linge n'est pas si simple. Vous allez répondre aux questions des enfants et suivre leurs travaux scolaires sans le soutien du deuxième parent et vous allez assurer en solitaire toutes les missions incompressibles que se partage en général le couple.

La première fois que j'ai fait une lessive, dans la superbe machine que j'avais acheté, j'ai mis tout ce qui était sale à 40 ° C, pour ne rien abîmer.

Tous mes vêtements, en coton, en laine ou en synthétique sont passés à la couleur violette. Et la laine avait tellement rétréci que je pouvais donner mon pull-over à ma fille aînée : Inutile de vous dire que j'ai étudié la notice en détail avant le lavage suivant !

Bref : Vous êtes divorcé(e) ou séparé(e) et vous avez retrouvé de la liberté... et de la solitude.

Certes, cette solitude a du bon et nous permet de réfléchir, de prendre du recul. Elle est même nécessaire pour l'équilibre de beaucoup d'entre nous. Comme elle est de toute façon inévitable, il vaut mieux la maîtriser et apprendre à l'apprécier.

Nicole Fabre, psychanalyste et auteur de « *Solitude : Peines et richesses* », constate que l'on a « jamais autant parlé de communication, imaginé des lieux de rencontre, des forums... Peut-être parce que nos modèles sociaux d'aujourd'hui sont générateurs de solitude et qu'avec le désir d'indépendance grandit la peur de l'isolement. Si bien que l'on a tendance à fuir une expérience pourtant nécessaire pour ne pas se perdre soi-même.

En prenant appui sur sa pratique de psychanalyste auprès d'adultes, d'enfants ou d'adolescents, mais aussi sur la littérature et la philosophie, elle met en évidence les leurres de la communication telle qu'elle s'offre à nous, cachant la solitude fondamentale à laquelle nous sommes inévitablement confrontés.

Distinguant les diverses formes de la solitude, il nous faudrait chercher à créer ou à retrouver en nous l'indispensable et heureuse capacité d'être seul. »

Il resterait alors à choisir entre travail + enfants + solitude ou travail + solitude ?

Il est possible, bien sûr, d'embrasser définitivement l'une de ces deux options avec la volonté farouche de ne pas en sortir. Mais la solitude finit souvent par peser.

Une de nos amies est seule depuis si longtemps qu'elle ne parvient plus du tout à aller vers les autres !

C'est là que Maslow intervient de nouveau !

Notre 3 ème besoin, souvenons-nous, est social.

Faire partie d'un groupe, d'une communauté ou d'une famille est essentiel et appartenir à une entreprise est rarement suffisant.

Bien sûr, de nombreux couples se forment en entreprise et c'est parfois à cause d'une rencontre professionnelle que les couples mariés se déforment.

Mais ce mélange vie privée / vie en entreprise n'est pas recherché par tous, ni parfois même souhaitable ou simplement réalisable. Votre comportement en entreprise est aussi celui d'un employé ou d'un responsable qui apporte un service ou réalise une tâche. Vous n'y êtes pas entièrement vous même mais seulement une partie de vous.

Ce n'est pas un hasard si les clubs, sites et lieux de rencontres sont peuplés de tant de célibataires. Nous serions 18 millions en France, dont environ 7 millions de 35/60 ans surtout réunis dans les grandes agglomérations et 8 millions vivent chez leurs parents. Les 3 millions restant seraient des plus de 60 ans dont beaucoup vivent en zone rurale. Et nous sommes en manque de relation et de chaleur humaine.

Mais, ou sont passés les amis du couple ?

Il est probable que vous garderez vos meilleurs amis si vous ne les avez pas mouillés dans vos querelles de couples. Mais ceux ci se comptent sur les doigts de la main et ne sont pas toujours proches géographiquement.

Les autres, les couples de copains ou les relations vous recevront encore un peu mais comme ils n'auront pas les mêmes occupations ni le même rythme, vous les verrez sûrement de moins en moins. C'est normal !

Vous même vous détacherez un peu parce que la proximité d'un couple amoureux vous renvoie à votre échec ou à votre solitude.

Les célibataires divorcés ou séparés, de leur coté, font souvent peur aux familles traditionnelles : cela ne va-t-il pas donner des idées à ma femme ou à mon mari ?

Le miroir que nous renvoyons inspire envie et / ou crainte.

CHAPITRE XII

Rencontrer de nouveaux amis

Comment se faire de nouveaux amis ? (au sens large du terme)

En tout cas : pas en restant seul devant sa télé ou son PC !

Je vous propose quelques pistes :

A – L'école et les autres parents dont les enfants sont des copains du vôtre.

B – Le club de sport ou d'activités des enfants.

C – L'église et ses activités annexes.

D – L'épicerie du coin…

Bof !

Pas facile, après les banalités sur le temps, d'embrayer par « je suis divorcé(e) et après une dure période, j'ai trouvé ça très bien. Maintenant je me sens un peu seul(e) mais je me vois mal vous inviter en couple. Vous êtes marié(e) ? »

E – De très nombreuses associations existent et leur utilité n'est plus à prouver.

Elles sont un excellent moyen de rencontrer des gens ouverts, différents, engagés ou solidaires. Elles répondent cependant plus fréquemment à une passion ou au besoin de dépassement de soi et ne comblent pas la solitude de fond que nous pouvons vivre. Notre objectif n'est pas seulement d'être dans un groupe. Il faut que celui-ci ait les mêmes affinités, les mêmes attentes, les mêmes objectifs. Le mieux sera même que nous nous rencontrions de façon naturelle en dehors de toute organisation !

De plus, le célibataire de plus de 35 ans peut se sentir un peu décalé s'il n'a pas les mêmes horaires, les mêmes impératifs que les couples qu'il va rencontrer dans des associations familiales ou de loisirs.

Maï, qui a essayé association de la bibliothèque du village, association de parents d'élèves, associations sportives… m'a fait remarqué qu'elle n'y avait rencontré que des femmes (à + 90 %) et toutes mariées ou en couple. « Dans les villages, les possibilités de se recréer un cercle d'amis dans la même situation sont encore plus rares qu'en ville. La plupart du temps d'ailleurs, suite à un divorce, le couple vend la maison qui a été acquise et les deux repartent en ville pour se rapprocher des centres culturels et des possibilités de rencontres : plus il y a concentration de gens plus on pense qu'il sera facile de rencontrer de nouveaux amis… La suite va prouver que ce n'est pas aussi simple… »

Les statistiques indiquent que 10 % de la population, environ, est célibataire de + 35 ans. Le pourcentage serait de 20 % dans les zones très urbaines et de moins de 5 % dans les campagnes. Pour un village de 4000 âmes, il y aurait donc pourtant 200 personnes dans ce cas ! Cependant, comme il s'agit essentiellement de personnes très âgées, attachées à leurs modes de vie ou ne pouvant pas faire autrement, les nouveaux célibataires jeunes repartent en ville, ce qui accentue encore le phénomène.

F – Il y a aussi les amis des amis dans notre situation. Ceux que l'on a, gentiment du reste, placés à côté de vous à table en espérant que vous vous entendrez bien.

Je garde un souvenir ému de ces dîners parfois très sympas lorsque je me trouvais en bout de table, face à une femme dont j'ignorais tout avant l'apéritif. Cela tournait franchement au supplice lorsque nous n'avions rien à nous dire et alors que les couples qui composaient le reste de la table se connaissaient bien et s'amusaient. Je me souviens particulièrement d'une fois où la maîtresse de maison, qui était à l'opposé de la table, nous demanda d'un coup, se penchant en avant, tournant la tête vers nous et coupant tout le monde, si nous allions bien « tous les deux » ?

Ma voisine d'en face et moi avons répondu « oui » en cœur, le sourire large, pour ne pas gâcher le repas. Et ce fut ma dernière expérience du genre !

G – Enfin, il reste encore les clubs de sport pour adultes et leurs bodybuildés, les centres de vacances, les boîtes de nuit et les agences matrimoniales.

Cependant, ces diverses pistes ne répondent toujours pas à notre besoin de nous retrouver avec des personnes qui nous comprennent pour avoir vécu un peu le même cheminement et qui auront les mêmes centres d'intérêt !

Attardons-nous plutôt un instant sur le groupe dont nous sommes redevenus le plus proche : les étudiants.

Ils sont « libres » et ont le pressentiment que tout peut arriver. Ils veulent être maîtres de leurs avenirs, et sont parfois extrêmement ouverts à toute expérience. Les étudiants se rencontrent facilement car ils se retrouvent naturellement en cours, au resto U, dans les soirées. Pas besoin de se présenter. Le fait d'être là et dans la tranche d'âge suffit !

Nous aussi, nous sommes libres et ouverts à de nouvelles expériences, à l'opposé de la position casanière ou stéréotypée que nous avions parfois acceptée après quelques années de mariage.

Nous pouvons aussi observer plusieurs différences : Nous sommes plus âgés, bien sûr, et bénéficions de la maturité qui en découle. En général, nous avons aussi l'indépendance financière.

Les étudiants vivent entre eux, se reconnaissent, ont des codes et des lieux de rencontres. Ils s'entraident, organisent des fêtes ou des débats, travaillent sur des projets en commun...

Bref, ils sont organisés en véritable communauté, ce qui n'est pas notre cas ! Nous sommes nombreux aussi mais « noyés » dans la masse des adultes car nous n'avons pas de campus, de lieu de retrouvaille.

En définitive, c'est bien ce regroupement qui nous manque !

Il nous manque parce que nous avons besoin de retrouver des personnes qui ont le même rythme, les mêmes objectifs.

Souvenez-vous, que lorsque vous faisiez partie d'une bande de copains, entre 20 et 30 ans, ceux qui se mariaient quittaient naturellement et doucement le groupe lorsqu'ils commençaient à vivre ensemble. Le même phénomène se retrouve parfois entre les amis en couple dont l'un a un premier enfant. Parfois, ces amis se retrouvent dès qu'ils sont tous installés avec enfants !

Les rythmes de vie sont en effet très différents lorsque vous avez à gérer le quotidien des siestes et des biberons alors que les jeunes couples peuvent sortir sans restriction.

Après une séparation, c'est la même chose et je ne l'imaginais pas.

Vous vous retrouvez à un autre rythme et vous perdez doucement vos amis de couple, même s'ils n'ont pas eu à choisir un camp.

C'est ainsi que vous retrouverez plus tard, parfois, ceux qui divorceront à leurs tours !

La forte mobilité que nous connaissons aujourd'hui a aussi une incidence sensible : vous quittez votre région d'origine pour un nouveau travail, pour suivre votre conjoint... et, 10 ans plus tard, vous ne connaissez plus personne si vous revenez !

Et cela est fréquent car pourquoi rester dans une région si vous n'y avez plus d'attache ou si vos parents, restés au « pays », ont besoin d'aide ?

Ce besoin de rencontrer des personnes au même rythme de vie n'est pas non plus forcément la recherche de l'âme sœur.

Nous sommes nombreux, après un divorce ou un deuil, à souhaiter faire un break. La peur de recommencer une aventure douloureuse nous fait aussi beaucoup réfléchir. Il faut un temps de solitude amoureuse pour digérer.

Ce qui manque, c'est avant tout une bande de copains, voire d'amis, avec qui passer un bon moment, discuter, rire, aller au cinéma ou au musée.

Vous n'avez pas envie de ressasser le passé et de gémir, mais de vous changer les idées après une bonne semaine de travail et, parfois, de solitude.

La solitude est géniale lorsqu'elle est voulue et insupportable quand elle est subie trop longtemps.

Mais comment recréer une communauté ouverte comme celle des étudiants ?

CHAPITRE XIII

L'histoire de l'Association Française des Solos

Tout en essayant de gérer au mieux notre divorce, mon ex-femme et moi nous sommes séparés en septembre 1999 et je me suis installé, seul, dans un appartement.

Après m'être replié sur moi-même durant 6 mois, j'ai enfin décidé qu'il était temps de reconstruire ma vie personnelle. Ayant quitté la région Lilloise pendant 10 ans, je me suis rendu compte que je n'avais plus de réseau relationnel et que les anciens amis du couple, même s'ils sont restés fidèles et neutres, n'avaient pas les mêmes préoccupations.

Je n'avais aucune envie de traîner dans les bars seul ou de faire le tour des boîtes. Je ne cherchais pas non plus les aventures ou l'âme sœur.

Nouvel internaute, j'ai lié d'abord des contacts virtuels sur la région.

Maï Heems, divorcée depuis quelques années, et vivant avec ses 3 enfants près de Saint Amand, m'a reconnu au travers de nos discussions sur internet : nous avons partagé quelques années au lycée. En mars 2000, nous avions la certitude de ne pas être les seuls à avoir une démarche de reconstruction, et nous avons décidé de passer une petite annonce dans un journal gratuit, pour rencontrer de nouveaux amis.

La première réunion a lieu début mars 2000 : 12 personnes, dont 11 femmes se sont présentées à la maison.

Un peu coincé parce que Maï avait du annuler sa présence au dernier moment, j'ai expliqué notre démarche :

– Reconstituer un tissu relationnel après une rupture dans un esprit d'ouverture, de respect d'autrui et de liberté.

– Organiser une rencontre mensuelle, point de ralliement, et diverses activités de loisir en toute amitié.

Deux « pages persos », chez un hébergeur gratuit, présentaient sur Internet notre jeune groupe et les quelques activités organisées. À mon grand étonnement, j'ai commencé à recevoir des messages d'Internautes de toute la France : « Pourriez-vous donner des informations sur le divorce ? », « Que faut-il faire dans tel cas de divorce ou de séparation ? », « Comment créer un groupe comme le vôtre ? »…

Chantal faisait partie d'un autre groupe récent à Lille et a été informée de notre petite annonce. Elle m'a contacté pour s'assurer de nos objectifs puis a proposé de rassembler ces deux petits groupes. Le « pot entre amis mensuel » de juin 2000 a rassemblé 25 personnes chez l'une de nous et l'ambiance a commencé à se détendre. Au mois de juillet, nous étions 50 ! Comme le site ne permettait pas la gestion facile des membres, des activités et de la communication, l'organisation est devenue difficile. La cacophonie s'est installée et les « animateurs » ont décidé de cesser l'accueil de nouveaux membres durant six mois, jusque fin décembre. Ce temps a servi à mettre en place une logistique fiable. Peu à peu, la taille du groupe s'est réduite pour atteindre 30 personnes, mais assez soudées entre elles.

Pendant ce temps, j'ai recensé les besoins des internautes qui me contactaient et j'ai décidé de créer un site complet et interactif avec deux étudiants en informatique, Rémi Pauchet et Édouard Vanbelle. Le marché de la publicité en ligne était alors à son apogée et une société d'édition fut créée pour assurer la structure juridique et permettre le financement. La publicité sur les bandeaux devait permettre d'équilibrer à terme les dépenses.

En décembre 2000, le nouveau site était lancé et 12 000 pages étaient lues : la surprise totale !

Mais les connections étaient lentes et fréquemment coupées car un hébergement gratuit, à l'époque, ne pouvait pas absorber ce trafic. Il a fallu louer un serveur dédié, ainsi que des lignes à hauts débits. Les problèmes techniques ont alors disparu mais les charges fixes ont explosé.

Le site permettait désormais à un groupe d'organiser, en quelques heures par mois, toute sa logistique : présenter les activités (dont le détail n'est accessible qu'aux adhérents), gérer les membres et améliorer la communication. Tous les membres peuvent proposer à l'animateur de l'antenne une activité !

Des outils de mailing interne, un forum privé pour chaque groupe et la possibilité d'imprimer à domicile le programme détaillé des activités ont complété en effet le dispositif. Chaque membre peut ainsi obtenir les lieux de rendez-vous et numéros de téléphone des organisateurs de ces activités.

En page d'accueil du site, une partie « info » regroupe de nombreux articles qui permettent aux internautes de trouver des réponses à leurs questions sur de nombreux sujets. Une partie « rencontres » fut incluse à la demande quasi générale, ainsi que des centaines d'idées de sorties ou d'activités. Des forums et un chat ont suivi.

Début 2001, un brainstorming a donné à Maï l'occasion d'inventer le nom « Solo'ptimistes », immédiatement déposé. Tous les participants avaient flashé sur ce nom et plus personne ne parvenait à trouver mieux. Ce nom avait l'avantage d'indiquer en une seconde nos états familial et psychologique.

En mars 2001, 92 000 pages furent lues sur le site.

Très rapidement, des contacts se sont noués avec des séparés, divorcés ou veufs d'autres villes, désireux de créer à leur tour des groupes et d'utiliser l'outil qui venait d'être mis en ligne.

Des « antennes » ont vu le jour à Dunkerque, Versailles, Paris, Lens, Tours, Nantes... grâce aux initiatives d'animateurs(trices) locaux dynamiques et dont les idées concordaient avec celles des Solo'ptimistes de Lille.

Quelques articles de presse contribuent à faire connaître www.divorceoumonop.com et notre jeune groupe.

Durant l'été 2001, le marché de la publicité sur Internet s'est effondré. Les attentats du 11 septembre contribuèrent à concentrer les budgets sur les très gros sites. L'équilibre financier de divorceoumonop.com était en péril et je ne pouvais plus payer seul, tous les mois, hébergement et lignes. Une solution devait être trouvée en urgence.

Parallèlement, le besoin d'un règlement intérieur commençait à se faire sentir pour éviter toute dérive et garantir au nom Solo'ptimistes de rester fidèle à ses objectifs. De plus en plus d'activités avaient lieu, ce qui augmentait le risque d'incident ou d'accident.

Dès septembre 2001, la nécessité de créer l'Association Française des Solo'ptimistes devenait évidente.

Cela permettait aussi de fédérer les différents groupes de France en libérant chaque antenne de l'administration d'une association. L'AFS apporte une aide logistique grâce au site, mais aussi un soutien matériel ou organisationnel au développement, par son expérience et avec l'appui de nouveaux outils de communication.

L'association 1901 à but non lucratif fut donc rapidement déclarée en préfecture et, lors de la petite Assemblée Générale du 8 décembre 2001, son conseil d'administration, constitué de 8 membres, fut élu par les membres fondateurs.

L'association se donna 3 objectifs principaux :

– Faire comprendre qu'il vaut mieux « gérer » son divorce ou sa séparation que de se déchirer. Inciter à protéger les enfants. Présenter toutes les solutions amiables. Informer sur les associations familiales et la médiation.

– Il y a 7 millions de foyers célibataires et monoparentaux de plus de 35 ans, qui forment une communauté comme une autre. Le couple traditionnel n'est plus le seul modèle. Sans faire l'apologie de la séparation, nous pensons que la vie en célibataire, monoparentale ou en couple « chacun chez soi » peut aussi être un choix assumé.

– Aider les personnes qui ont vécu une rupture à ne pas s'isoler, à recréer un tissu relationnel. Aider les séparés et divorcés à se tourner de nouveau vers l'avenir. Faciliter l'organisation d'antenne locale de l'association dans chaque ville. Organiser des rencontres entre les différentes villes, lors de conférences, de loisirs, de vacances...

Les premières décisions furent les suivantes :

– Les groupes existants devaient devenir « antennes » pour continuer à bénéficier de l'aide logistique du site.

– Une assurance adaptée devait couvrir les activités proposées.

– Un règlement intérieur définirait le fonctionnement de l'AFS et de ses antennes.

– Un contrat régirait les relations économiques entre l'éditeur du site et l'AFS pour éviter tout malentendu et pérenniser l'action de l'association et le fonctionnement du site. L'AFS obtient la concession de la partie « clubs / asso » du site contre une redevance mensuelle qui évite la débâcle économique.

– Président de l'AFS, j'ai laissé ma place d'animateur des « Solo' » de Lille pour me concentrer sur l'aide aux nouvelles antennes, sur tout le territoire national. Ce qui a servi aux Lillois doit en effet pouvoir servir aux autres.

En décembre 2001, il y avait 9 antennes de plus de 20 membres en France, et 650 000 pages avaient été lues sur le site.

L'animatrice de Lille, Nathalie Gary, a repris des études de formation / communication et a réalisé sa licence sur le thème de l'Association. Ce travail de sept mois a permis de très bien connaître ceux qui souhaitaient nous rejoindre, de savoir comment ils entendaient parler de nous et d'analyser leurs satisfactions ou déceptions quelques mois plus tard.

Grâce à cette étude, nous avons créé des outils d'accueil, de présentation et de développement qui furent testés par Nathalie.

Un « kit nouvelle antenne » a été constitué pour aider les nouvelles antennes à démarrer le plus facilement possible.

De cette façon, si nous ne sommes pas encore présents dans une ville mais qu'une ou deux personnes se sentent assez disponible et aptes pour créer une antenne, nous leur envoyons des prospectus et des affiches puis nous créons leur antenne virtuelle sur notre site et nous les aidons à trouver la première dizaine d'adhérents localement. Au préalable, les candidats à la création d'une antenne doivent se présenter en répondant à un questionnaire en ligne, nous rencontrer physiquement au sein d'une antenne existante puis participer à une journée d'information organisée 2 fois par an à Paris.

Notre idée n'est pas de proposer que l'on vive entre nous, ni que l'on réclame un quelconque statut : pas de ghetto pour les séparés, divorcés et monoparentaux !

Nous ne voulons pas non plus absolument que chacun retrouve sa moitié.

Notre opinion est qu'il suffirait d'un peu d'énergie pour que nous ayons dans chaque ville un lieu et un groupe communautaire optimiste qui connaisse nos attentes et serve de point de repère ou plutôt de phare. Une sorte de rendez-vous dans la cité comme l'est le campus pour les étudiants. Un endroit où l'on pourrait se réunir, retrouver une vie sociale, le plus simplement du monde.

Notre association est gérée comme toutes les entités loi 1901 avec Assemblée Générale, conseil d'administration et bureau élus.

Lors de l'Assemblée Générale de 2003, à la demande de la Soroptimist International Organisation, nous avons changé de nom pour devenir simplement l'Association Française des Solos.

En avril 2004, 33 antennes couvraient la majeure partie du territoire national, l'association était composée de plus de 1 300 adhérents et le site a délivré 1,4 millions de pages.

À ce jour, nous avons séparé l'AFS et le site www.DivorceOuMonop.com qui réalise 3,5 millions de pages par mois avec la visite moyenne mensuelle de 300 000 internautes !

En effet les objectifs du site communautaire des séparés, divorcés et monoparentaux (apporter des informations et des moyens virtuels de se contacter) ne sont pas exactement les mêmes que ceux de l'Association Française des Solos (créer une communauté physique). Les internautes avaient parfois tendance à faire l'amalgame.

Septembre 2006, nous sommes plus de 5 000 au sein de l'AFS, dans plus de 45 villes et 10 antennes sont en projet !

Nous nous sommes peu à peu améliorés, par expérience et lors de réunions avec des coordinateurs d'antennes et des adhérents. Désormais, nous sommes organisés en structure nationale avec des coordinateurs d'antennes, des coordinateurs régionaux, des responsables de projets...

Je tiens à remercier ici tous ceux qui se sont engagés depuis le 1er jour et parfois jusqu'à maintenant pour le développement de cette association. Ce sont des dizaines de femmes et d'hommes qui ont déployé beaucoup d'énergie pour permettre à d'autres de se rencontrer. Je pense bien sûr aux premiers, aux créateurs des antennes, aux coordinateurs actuels et à tous ceux qui organisent régulièrement des activités pour le bien et dans l'intérêt de tous les adhérents !

Mais pourquoi rejoindre une communauté de séparés, divorcés, veufs ?

Notre règlement intérieur, disponible sur Internet, rappelle nos valeurs dont l'ouverture, le respect et la liberté.

Chaque antenne propose chaque mois au moins un « pot entre amis » qui sert de rendez-vous régulier pour nous retrouver, discuter puis éventuellement dîner, danser...

Les diverses activités de l'association sont culturelles, ludiques ou sportives...

Il n'y a pas de « gentil organisateur ». Toutes les activités sont proposées par des adhérents qui en deviennent « responsables ».

Nous fonctionnons donc sur le principe d'une auberge espagnole : chacun apporte sa contribution dans l'intérêt général.

Pour s'intégrer, il est nécessaire de s'investir en participant ou, mieux, en proposant des activités !

Les adhérents peuvent participer aux activités de toutes les antennes de France, à condition d'en respecter le mode d'inscription.

Pour la convivialité, nous nous tutoyons et nous appelons par nos prénoms.

Des adhérents ont organisé des semaines aux sports d'hivers, des régates, des visites de musées ou des soirées dansantes pour 100 ou 300 personnes...

Des centaines de rencontres ont lieu entre adhérents hors association dès lors qu'une petite bande de copains se forme...

Le temps passé ensemble à jouer aux cartes ou à rire est du bonheur gagné sur la solitude. Ce qui rend cette dernière plus facile à vivre et peut devenir alors éventuellement un vrai choix.

Il est primordial de comprendre que cette association familiale est un club de loisirs qui poursuit un but social car ceux qui recherchent un « club de rencontres » sont vite déçus : nous nous rencontrons dans une ambiance décontractée, parfois avec nos enfants, presque comme « en famille » et nous ne cherchons pas à faire des couples.

Ainsi, nous avons analysé, à l'aide d'un questionnaire, que plus de 60% des nouveaux adhérents de l'association ne sont surtout pas en recherche de l'âme sœur, pour diverses raisons dont le besoin impératif de faire un break à la suite d'une expérience qui a échoué ou d'un deuil.

Les adhérents nous rejoignent surtout pour mettre fin à la période de repliement sur soi, pour se reconstituer une bande de copains, pour sortir et se changer les idées. **Nous aidons à recréer des liens sociaux. Notre organisation et nos loisirs sont les outils, les moyens.**

Il n'en reste pas moins que nous sommes entre adultes et que la volonté d'aimer et d'être aimé est naturelle. Si le hasard des rencontres amicales vous fait apprécier quelqu'un et que la chance rende ce sentiment réciproque, nous serons très heureux pour vous.

Il y a donc, et c'est mon cas, des adhérents qui « vivent » ensemble, parfois depuis longtemps, et cela ne pose pas de problème dès qu'il y a respect mutuel.

Comme lorsque nous avions 20-25 ans, certains sont célibataires, souhaitent le rester et d'autres « sortent » ensemble. Les derniers, enfin, nous quittent doucement pour fonder un nouveau foyer car leurs occupations s'éloignent alors peu à peu de ce que nous leur apportons.

Dans tous les cas, faire partie d'un groupe d'ami(e)s nous équilibre et répond à notre besoin social.

Enfin, même s'il faut être séparé, divorcé ou veuf pour adhérer, une communauté comme la nôtre est ouverte vers l'extérieur et, en particulier, vers les personnes célibataires ou mariées que nous rencontrons ou croisons dans le cadre de nos activités. Nous n'avons pas la volonté de ne vivre qu'entre nous mais simplement de nous rassembler pour des activités en commun comme le font les collectionneurs de timbres ou des joueurs de tennis !

Une association est un concentré de la société et tout n'y est bien sûr pas parfait. Les « nouveaux » me disent souvent combien il est laborieux de faire le premier pas, comme il peut sembler dur de s'intégrer.

J'en suis bien conscient et commencer a aussi été ardu lorsqu'il a fallu rassembler les premiers solos autour d'un projet commun.

Aller vers les autres n'est pas naturel car nous sommes en sécurité au milieu de ce et de ceux que l'on connaît. C'est encore plus sensible dans une période délicate psychologiquement. Le simple fait de devoir s'intégrer dans un nouveau job ou dans un club de pétanque fait le même effet.

Ajouter la crainte du « qu'en dira-t-on ? », l'impression que tous se connaissent déjà ou que personne ne vous adresse la parole et il est fréquent que le premier contact soit un calvaire !

Ne perdons pas de vue l'objectif : se remettre dans une logique simplement sociale, c'est-à-dire rencontrer une, puis deux, puis trois personnes…

Les solutions viennent toutes seules : s'engager est nécessaire, participer est impératif et persévérer est obligatoire. Le fait de partager une randonnée pédestre vous donnera l'occasion de discuter dix minutes avec l'un ou l'autre, aller au ciné avec un petit groupe permet de s'intégrer en douceur pour l'aller boire un verre ensemble ensuite. En plus, il n'est pas marqué « nouveau » sur votre front !

Cette association donne l'occasion de s'ouvrir de façon incroyable à qui se laisse aller. Vous allez découvrir des individus, des hobbies, des activités que vous n'auriez jamais imaginé avant votre divorce. À vous de partir à la découverte…

Ceux qui restent en attente, assis sur une banquette risquent fort de s'ennuyer.

Je propose de faire le parallèle avec les vacances sac au dos chez l'habitant et celles dans un club 5 étoiles où, même au bout du monde, le personnel parle votre langue.

Vous n'imaginez pas comme je suis heureux de la richesse humaine que je découvre et que les adhérents m'apportent. J'ai des copains aux quatre coins du pays qui m'hébergent si je poste un mot sur le forum de leur antenne. J'ai des amis dans plusieurs villes que je revois lors des activités inter-antennes. J'ai découvert des métiers rares, des passions mais aussi des difficultés, des maladies inconnues. Je n'ai jamais été aussi humble et attentif que depuis que je participe à cette aventure et je sais que je vais encore apprendre beaucoup.

Je me souviens de cet adhérent qui portait un walkman lors de sa première sortie, une randonnée justement (il va se reconnaître !) et qui avait le visage fermé et terne. Nous l'avons vu s'épanouir au fur et à mesure qu'il participait et entrait en contact avec les autres. Ayant rencontré une femme adorable, il a décidé de s'investir ensuite en organisant à son tour des sorties pédestres pour apporter ce qu'il avait lui même reçu.

Sur un autre registre, j'ai été très ému lorsqu'un adhérent est venu me dire qu'il est homosexuel et qu'il se demandait si cela nous gênerait de le savoir. Il y a parmi nous des Blancs, des Noirs, des Arabes, des Indous, des Asiatiques, des Catholiques, des Musulmans, des Bouddhistes, des Protestants, des Juifs, des athées, des agnostiques... et je ne connais pas tout le monde !

Ce qui est intéressant, c'est que le fait de s'appeler par nos prénoms et de nous tutoyer fait tomber immédiatement certaines barrières. Il y a aussi, dans les même activités, des demandeurs d'emploi, des employés, des cadres, des chirurgiens et, la plupart du temps, nous ne le savons pas et cela importe peu.

Il y a aussi des progressistes et des réactionnaires et, tout cela mélangé fait une belle potion magique.

Dans une association, vous pouvez être passif et regarder les autres faire ou être actif et vous occuper simplement. Certains lancent des activités en fonctions de leurs hobbies ou de ce qu'ils avaient toujours voulu faire avant. Vous pouvez aussi être acteur de l'évolution ou de l'organisation du mouvement. Avec des antennes dans plus de 40 villes, ce sont des centaines de coordinateurs bénévoles qui se relaient pour accueillir les nouveaux et pour coordonner les activités. Des coordinateurs créateurs passent ensuite le relais à d'autres qui participent à une journée d'information sur notre organisation afin de pérenniser nos bonnes pratiques.

L'association est donc ainsi un excellent moyen de vous découvrir de nouvelles capacités d'organisation, du leadership ou un sens apprécié de la fête. La satisfaction toute personnelle éprouvée à la vue des sourires partagés est à elle seule une très belle récompense. Cette association ne m'a pas seulement fait renaître, elle m'a rendu utile !

Enfin, nous rejoindre sera peut être aussi l'occasion, de rencontrer celui ou celle avec qui vous partagerez de longs moments de bonheurs.

Quand nous avons créé l'asso, certains me disaient « Je suis sûr que tu fais ça pour trouver une femme ».

Depuis que je vis avec Pascale, les mêmes me disent « Pourquoi restes-tu puisque tu as trouvé une femme ? ». Ces adhérents n'ont vraiment rien compris.

Dans cette bande de copains, certains sont de véritables amis, qui peuvent m'appeler à n'importe quelle heure du jour ou de la nuit et pourront compter sur moi.

L'une des originalités de l'Association Française des Solos est justement que, seul ou de nouveau en couple, vous êtes chez vous.

Dans un club de rencontres, vous devez partir dès que vous n'êtes plus libre. Dans notre organisation, ce serait stupide. Imaginez alors ce qui se passerait : les couples se cacheraient pour ne pas être virés. Nous serions obligés de demander avant chaque activité si les participants sont toujours « seuls ». Il faudrait tenir un tableau pour savoir qui est avec qui ?

Bien sûr, quelques adhérents ont quitté l'asso après avoir rencontré l'âme sœur et c'est compréhensible, surtout lorsqu'il y a des enfants sous le même toit. En quatre années, il y a même eu des mariages « Solos » et des enfants « Solos » !

Cependant, nous ne mettons jamais en avant ou sur un podium ceux qui reforment un couple ou refondent une famille car nous estimons que ce n'est ni l'atteinte d'un objectif, d'un challenge que nous nous serions fixés, ni le seul modèle à suivre.

À Lille, où nous sommes assez nombreux, quelques couples se sont ainsi formés et viennent de temps en temps nous « faire un petit coucou » et nous dire qu'ils vont bien : c'est super !

Si nous trouvons l'âme sœur et choisissons la séparation de domicile, nous pouvons avoir le bon coté du couple sans retomber dans le train-train quotidien et nous avons les plaisirs des célibataires sans l'isolement. Dans le cas où nous voudrions revivre sous le même toit, espérons que les expériences passées nous évitent de refaire les mêmes erreurs.

Il existe d'autres associations comme la nôtre.

Je ne parle pas des clubs de loisirs ou de rencontres qui pullulent, parfois sous statut associatif, alors que leurs créateurs en vivent. C'est bien sûr tout à fait honorable dès lors qu'un service est apporté mais il semble essentiel que les clients le sachent ou que les « adhérents », pour les associations, soient véritablement informés de l'utilisation des recettes !

Ce qui est dommage, c'est de faire passer une activité de business, avec cotisation supérieure à

75 euros et commissions sur les activités, pour des actions bénévoles.

À Lille, véritable asso à but non lucratif, les « Celi » forme un groupe plus ancien que le nôtre et ses adhérents en disent souvent le plus grand bien. Il y a une déclinaison selon l'âge : Célimarrants, Célibattants…

Plusieurs associations existent en région parisiennes et certains de nos adhérents participent, sur l'ouest de l'Île de France, aux activités de « Céli Loisirs ».

J'ai écrit que toutes les religions et ethnies sont représentées. C'est presque vrai.

Nous pouvons quand même remarquer que la très grande majorité des adhérents est blanche de type européen et je me suis mainte fois demandé pourquoi il n'y a pas 20 % d'adhérents d'origine visiblement étrangère, comme c'est le cas dans la population Française. J'ai eu très peur que notre organisation ne sache pas les accueillir ou, pire encore, les fasse fuir !

Il me semble après réflexions que les Noirs, les Asiatiques ou les Arabes, vivent dans des communautés familiales plus soudées et qu'ils sont plus entourés que nous, réellement, lorsque un deuil les touche ou qu'ils divorcent.

Notre association n'est pas parfaite mais j'ai la certitude que rapprocher des personnes isolées crée du bonheur et j'ai l'espoir idéaliste que si tout le monde créait un peu de liens, de compréhension, d'écoute entre les hommes, la vie serait plus facile pour chacun.

CHAPITRE XIV

Grave erreur : la suractivité !

La peur de la solitude ou la crainte de sombrer dans l'ennui poussent parfois les adhérents à une suractivité quasi démentielle : cinéma le mardi soir, bowling le mercredi, pot entre amis et soirée dansante le jeudi, english conversation le vendredi, petit resto le vendredi, sortie avec les enfants le samedi, sortie en boite le soir, randonnée le dimanche matin et cours de salsa le soir…

Oh, il reste lundi et mardi soir pour faire du roller et pousser son caddie…

Remplir l'agenda peut suffire comme se goinfrer peut rassasier.

Mais la quantité remplace rarement la qualité et le risque essentiel est de survoler l'assemblée. En général, les boulimiques de notre asso finissent sur les rotules au bout de quelques mois.

Il convient donc de se poser les bonnes questions : voulez vous briser un isolement qui a trop duré, voulez vous combler à tous prix un vide qui vous donne le vertige ou cherchez vous des amis avec qui partager des activités tout en gardant des moments personnels et choisis de solitude ?

Si vous avez une peur quasi compulsive de l'isolement en réaction à une période difficile pendant laquelle vous étiez trop seul, le balancier retrouvera sans doute son équilibre naturellement.

S'il s'agit d'une crainte psychologique de fond, il faut en parler avec un thérapeute.

Si, à peine engagé, vous attendez le plaisir que vous procurera l'activité du lendemain, comme l'enfant qui demande quand aura lieu le prochain Noël à peine les cadeaux déballés, vous devez apprendre à profiter du bonheur présent.

Dans tous les cas, il faut prendre le temps d'analyser vos ressentis et de redéfinir quelles sont vos attentes.

C'est le moment où jamais pour démarrer une nouvelle vie. Ne vous pressez pas pour faire les bons choix !

CHAPITRE XV

Le cas particulier du veuvage

Même si cela les mène fréquemment aux mêmes besoins, les veuves et veufs que je rencontre sont dans une situation différente de la nôtre.

En effet, le divorce et la séparation surviennent en général après une période difficile durant laquelle le couple a peu à peu vu la situation se dégrader. Sans accepter forcément l'idée que la fin de l'union était inévitable, cette période prépare tout de même à l'éventualité de cette issue. Comme nous l'avons vu, le changement, décidé ou subi, va entraîner des conséquences psychologiques chez les personnes concernées.

Dans le cas du veuvage, et plus encore s'il s'agit d'une fin rapide ou accidentelle, vous n'avez pas été préparé(e) à la séparation.

Imaginez à quel point vous pouvez sentir une injustice si, de surcroît, votre couple était heureux.

Et qui pourrait vous comprendre ?

Si je pousse un peu, je peux dire que les séparés sont responsables de leurs situations ! Qui le serait sinon eux ? Je rajoute que nous pouvons continuer à voir notre ancien partenaire et que nos enfants aussi ont gardé leurs deux parents...

Dans le cas d'un décès, la séparation n'a été voulue par aucun des deux, vous ne pouvez plus communiquer, les enfants deviennent mi-orphelins...

Les chocs créés par l'hospitalisation, la mise en bière, la messe, l'enterrement sont affreux et vous vous retrouvez seul(e) à porter la déchirure du couple.

Les veuves et veufs que je croise souhaitent rencontrer de nouveaux amis ou l'âme sœur mais ne se reconnaissent donc pas au sein de notre communauté.

Il existe une association qui peut les aider (FAVEC – 28, place Saint Georges – 75009 PARIS

– 01 42 85 18 30) mais cela ne résout pas le besoin de reconstituer un cercle d'amis.

S'ils n'ont pas vécu le même traumatisme que nous, ils ont souvent la volonté de sortir de leurs coquilles dès le deuil entamé pour vivre de nouveau et, bien entendu, ils sont les bienvenus au sein de notre association.

CHAPITRE XVI

Grave erreur naturelle : la catégorisation

Nous avons à traiter, à analyser chaque jour une multitude de messages. Les seules pubs représenteraient, en zone urbaine, 1 000 sollicitations chaque jour (affichage, radio, presse, télé…).

La psychologie expérimentale (Bruner, Goodnow et Austin – 1956 ; Rosch et lloyd, 1978) a démontré que nous classons toutes ces informations en catégories. Cela a pour utilité de réduire la complexité de notre environnement, de mieux identifier les objets, d'ordonner les infos, de faciliter notre apprentissage, de nous aider à avoir le bon comportement.

Par exemple, lorsque nous voyons pour la première fois une fleur, nous ne savons pas son nom mais nous la classons en fleur. Nous avons retenu une fois pour toute que les fleurs sont des végétaux, qui poussent au bout d'une tige et sont colorées, odorantes et éphémères. Pourtant, il existe des centaines d'espèces bien différentes selon la classification APG.

Nous oublions aussi souvent que c'est après floraison qu'elle peut se transformer en fruit contenant des graines et que la tomate, par exemple, est le fruit, consommé comme légume, de la fleur de tomate.

C'est donc un fait que le cerveau simplifie naturellement les informations pour nous permettre de les ranger dans des catégories, elles-mêmes divisées en sous-catégories…

C'est ainsi que lors de la découverte du Sida (catégorie : Danger = Mort), les comportements ont été excessifs vis-à-vis des malades en général, et des homosexuels en particulier.

Il a fallu éduquer la société en communiquant sur les modes de transmission pour rassurer et accepter de nouveau des comportements simples comme le fait de se serrer la main ou de se toucher. Le formidable baiser de Clémentine Célarié a beaucoup fait pour casser la conduite que nous avions adopté par catégorisation, comme par méconnaissance.

De la même façon, nous catégorisons les humains et induisons des comportements en fonction des catégories dans lesquelles nous avons classé nos concitoyens.

Cheveux raides colorés + gel + chaîne + chien => punk => violence + drogue => danger => je change de trottoir.

Le marketing fait de même, de façon plus ou moins scientifique et fine, selon le produit ou service concerné et la cible consommatrice.

Nous devons nous méfier de cette catégorisation.

Pour classer une personne, un objet ou un animal, nous simplifions : un requin est méchant et un dauphin est gentil. Pourtant, il n'y a que 5 espèces de requin dangereuses pour l'homme et les attaques de mangeurs d'hommes sont très rares. Si tous les requins attaquaient les plongeurs, il n'y aurait aucune mer où se baigner.

Nous risquons donc d'être victime de nos propres catégorisations :

Ma 1ère femme était infirmière et s'occupait bien de moi. Elle aimait les enfants. Je me sentais bien avec elle.

Donc, les infirmières sont de bonnes épouses pour moi.

Donc, je recherche de nouveau une infirmière.

À l'opposé, nous pourrions imaginer un effet négatif :

Mon ex-conjoint avait un travail manuel et bricolait toujours dans la maison. Il y passait tout son temps et ne s'occupait pas de moi.

Je vais donc rechercher maintenant un partenaire intellectuel !

Les exemples sont nombreux et touchent tous les secteurs :

Les blondes sont idiotes.

Les femmes conduisent mal.

Les hommes ne pensent qu'au sexe.

Toutes les femmes sont romantiques.

Tous les hommes sont des brutes.

Les barbus cherchent à cacher quelque chose.

Les patrons sont des exploiteurs.

Les syndicalistes n'ont aucune compétence économique.

Les vendeurs mentent comme des arracheurs de dents.

Les policiers sont racistes…

Les catégorisations influent sur vos comportements et sur vos choix en réduisant votre champ de vision.

Elles sont la cause de beaucoup d'erreurs de jugement et de procès d'intention.

CHAPITRE XVII

Croiser l'« âme sœur » et ...

L'âge moyen au moment du divorce est de plus en plus jeune : 36 ans pour les hommes, et 34 pour les femmes. Maladies cardio-vasculaires et espérance de vie aidant, il y a 3 femmes divorcées non remariées pour 2 hommes.

Même s'il n'est en aucun cas obligatoire de chercher l'âme sœur lorsque l'on est seul(e), et c'est le cas de beaucoup, le plaisir de retrouver une vie de couple exaltante est légitime et naturelle.

Mais, au fait, comment savoir si l'on croise l'« âme sœur » et comment vaincre la peur de s'engager de nouveau ?

Après mon divorce, j'ai connu plusieurs phases successives : la fermeture totale et l'isolement pendant ma dépression, la volonté de savoir si je pouvais encore charmer et plaire, l'impression de combler de la solitude par des relations sans sentiment ou qui ne me passionnaient pas suffisamment puis le désintérêt et la certitude que je ne connaîtrai plus l'Amour, jusqu'à ce qu'il me tombe dessus sans crier gare !

Je pense sincèrement que ceux qui cherchent éperdument l'âme sœur n'ont pas les yeux assez grands ouverts, qu'ils regardent la vie sous un angle qui les empêche de le voir ou qu'ils peuvent finir par accepter le premier « oui » venu !

Un proverbe tibétain dit, en substance, que le seul fait de chercher le bonheur empêche de le trouver.

Je suis même convaincu que le sexe opposé, ou complémentaire, ressent cette recherche désespérée et que cela peut faire fuir à toutes jambes.

La meilleure formule serait selon moi d'être à l'écoute, en découverte de la richesse des autres et, surtout, au calme avec soi.

Chantal Hurteau Mignon et Christophe Jaouën, auteurs de « Cherche âme sœur » expliquent bien que le plus important est d'être soi…

Ils proposent un travail sur soi en 4 étapes pour redécouvrir qui l'on est, ce que l'on souhaite vraiment et comment être en phase avec cela.

Je pense donc qu'il est plus facile de trouver si on ne cherche pas mais à condition de s'en donner les moyens.

Pour cela, il faut donc être rayonnant puis sortir au maximum, rencontrer le plus de monde possible.

Être rayonnant parce que ceux qui passent leur temps à raconter leurs malheurs cassent les oreilles de ceux qui essaient de laisser les leurs de coté. Rencontrer le plus de monde possible pour augmenter les chances que le coup de foudre réciproque vous surprenne.

Comme nous l'avons vu, la plus grande difficulté est que les lieux de vie (cafés, églises, fêtes de villages…) qui existaient naguère ont disparu ou ont perdu ce rôle dc créer les rencontres.

Nous sommes ici bien éloignés de la communauté des étudiants qui sont mêlés les uns aux autres durant plusieurs années et se reconnaissent facilement entre eux.

Nos célibataires divorcés, séparés ou veufs travaillent tous les deux et ont peu de temps. Dans ces conditions, comment se rencontrer ?

Les annonces sur Internet ou dans la presse ont justement cet avantage d'augmenter facilement et rapidement le nombre des contacts avec la possibilité extraordinaire, sur le web, de cibler selon des critères prédéfinis par vous et parfois, en retour, par les « cibles » concernées.

Si vous cherchez un grand brun aux yeux verts qui aime les rousses aux yeux bleus : c'est possible !

Si vous voulez, de surcroît, qu'il mesure plus de 1,80 m et qu'il aime les femmes de moins de 1,60 m : c'est encore possible !

Mais il est rare que ces critères physiques seuls suffisent car le comportement et le feeling ont un rôle primordial dans la formation d'un couple. Et plus vos critères seront précis et plus l'élu risque d'être éloigné géographiquement.

Si l'éloignement, les différences de langues et de civilisations ne sont pas un inconvénient, vous pourrez trouver l'élu de votre cœur, ou de votre raison, sur une île, en Afrique, en ex-URSS ou en Orient, par exemple.

Des sites et des agences se sont spécialisés avec succès, semble-t-il, dans ces unions du bout du monde. Et les tourtereaux y trouveraient chacun leurs intérêts. Beaucoup de femmes originaires de pays en voie de développement viennent ainsi rejoindre des Européens par Amour ou parce que c'est toujours mieux que de crever de faim chez elles.

Je peux d'ailleurs facilement les comprendre et de nombreux Européens ont traversé l'atlantique durant les famines… Ce réflexe de survie est naturel.

En revanche, comme il y a déjà 3 femmes pour 2 hommes après 40 ans, et que ces femmes étrangères viennent souvent rejoindre des hommes plus âgés qu'elles, ce phénomène augmente la solitude et la difficulté des femmes qui cherchent un homme de 40-60 ans en France !

Ajoutons qu'une partie de ces hommes sont homosexuels…

Même si notre association n'est pas un club de rencontres, il est donc fréquent qu'un nouveau divorcé sympa et beau garçon soit vite entouré de quelques femmes qui l'ont repéré dès son arrivée.

Un de nos amis s'est même trouvé très gêné de cette situation alors qu'il voulait se poser, réfléchir, prendre son temps avant de recommencer une histoire d'Amour. Ces présences féminines rapprochées et le jeu qui en résultait l'ont presque fait partir !

Les annonces sur Internet imposent en revanche que vous vous décidiez un jour à rencontrer réellement, « dans la vraie vie », la personne avec qui vous semblez partager tant de points communs.

Monter cette marche n'est pas toujours facile, surtout pour les femmes car, au delà du risque de se trouver face à un névropathe, qui peut être limité en fixant le rendez-vous dans un café bondé ou dans un musée en plein centre ville, elles peuvent donner l'impression d'être prêtes, « ouvertes », à portée de main. Il suffirait alors que l'homme plaise à la femme, et vice-versa pour que l'affaire puisse être conclue !

Cette relation peut n'être pas très saine si les 2 individus n'ont pas les idées bien claires : « Alors, je te plais ou non ? ».

La déception est grande aussi lorsque l'attirance n'est pas réciproque et que vous vous entendez dire au bout de ¾ d'heure : « Bon, au revoir et merci pour le déjeuner ».

Enfin, la douche est carrément glacée lorsque celui ou celle qui vous semblait romanesque et plein(e) d'humour mâche un chewing-gum la bouche ouverte et ne répond que « ouaip, faut croire » à chacune de vos questions avant de vous avouer que les textes envoyés sur le site de rencontres étaient copiés sur un autre site spécialisé dans les déclarations romantiques passe-partout !

Bien sûr, de belles histoires ont fait suite à des contacts virtuels établis à partir de la lecture d'une fiche de présentation. Cela est arrivé sur notre site et ces nouveaux couples nous gratifient parfois d'un petit message sur le Livre d'Or.

Mais il faut un sacré coup de chance !

Je crois plus au hasard qui nous fait rencontrer une personne qui nous attire, que nous apprenons à connaître et qui nous enivre de son parfum.

Si vous avez les moyens financiers de vous engager dans cette voie, comptez 1 500 à 2 000 euros, vous avez la possibilité de vous inscrire dans une **agence matrimoniale**.

J'ai eu l'occasion de discuter avec beaucoup de Solos de ces agences car certains venaient nous rejoindre ensuite, déçus, alors que d'autres allaient s'y inscrire parallèlement pour trouver un service que nous n'apportons pas.

Les critiques sont très partagées et il m'a semblé que la qualité de la prestation tient essentiellement à celle du responsable d'agence et de la conscience professionnelle dont il ou elle fait preuve.

Admettons au moins que ces entreprises existent et se développent depuis 30 ans. Elles doivent donc bien répondre aux espoirs de nombreux célibataires.

Je connais un homme aisé, cultivé et gros travailleur qui n'a ni le style, ni le temps de draguer et recherche une nouvelle compagne 2 ans après le deuil de son épouse. Son agence lui permet de rencontrer des femmes qui veulent réellement s'engager, qui sont du même niveau socioculturel et dont il connaît par avance les centres d'intérêt.

Il les rencontre, avec parcimonie, au cours d'un repas dans un bon restaurant sans luxe et ils peuvent ainsi valider s'ils ressentent une attirance réciproque.

La démarche me semble tout à fait honorable.

D'autres Solos m'ont, au contraire, fait part d'une rencontre par trimestre, conformément au contrat, mais sans aucun rapport avec leurs attentes...

Dans ce cas, 400 euros la rencontre me paraît quand même exagéré !

N'hésitez pas à rencontrer plusieurs agences, à demander le nombre d'inscrits correspondant à vos critères et ne signez pas le contrat à la première visite.

Les clubs de rencontres sont de plus en plus nombreux à proposer des loisirs pour trouver « l'âme sœur » de façon « naturelle ». Contrairement à notre association, les personnes viennent y faire un peu leur marché. Dès que le (la) partenaire a été trouvé(e), vous quittez le club et vous augmentez son taux de réussite de création de couples !

Les avantages sont très nombreux : la règle du jeu est claire pour tous et chacun est libre ; les activités remplacent les lieux de vie d'antan ; contrairement aux petites annonces, vous croisez un regard avant d'entrer en contact ; toutes les méthodes d'approche peuvent être utilisées ; vous restez libre de venir quand vous le souhaitez ; le montant de l'inscription est généralement raisonnable (150 à 300 euros / an) et le nombre de personnes rencontrées n'est pas limité ; vous pouvez croiser des tas de gens très sympas même si votre cœur ne chavire pas et ils vous présenteront peut être votre future conquête ; personne ne peut se cacher derrière son écran et tromper ses correspondants...

Les clubs de rencontres proposent des activités de loisir très diverses mais aussi, régulièrement, des services supplémentaires payants en option : relooking, cours de communication, connaissance de soi et parfois des réductions dans les agences matrimoniales si vous ne trouvez pas chez eux l'élu(e) de votre cœur.

Attention toutefois à ne pas mettre les pieds dans un club trop mercantile (adhésion rédhibitoire de 1 500 à 2 300 euros/an, loisirs non compris) ou dans une pseudo secte qui, sous couvert d'organiser des rencontres, va essentiellement proposer des formations coûteuses de découverte de soi !

Pour finir, le « *speed dating* », ou « rencontres express » vous propose le maximum de contacts en un minimum de temps.

Un nombre égal d'hommes et de femmes ont quelques minutes pour faire connaissance et changent d'interlocuteur au retentissement d'une sonnette ou d'un gong. Les organisateurs notent avec qui vous accepteriez un deuxième rendez-vous et vous communiquent ses coordonnées au plus vite, parfois sur SMS, si le désir est partagé.

Gros inconvénient par rapport au club de rencontres, vous allez devoir supporter et raconter votre vie à des personnes qui ne vous inspirent pas du tout.

Avantage en retour : vous avez la garantie et la chance de rencontrer toutes les personnes présentes. Ce système favorise donc surtout les timides ou ceux qui sont peu efficaces pour le premier contact. Le système évite de devoir trouver un thème plus ou moins bidon d'accroche et de passer pour un(e) dragueur(se).

La bonne ambiance permet aussi parfois de créer une vrai bande de potes et c'est toujours ça de gagné !

En quelques années, j'ai acquis la certitude que la rencontre amoureuse est une alchimie bien difficile à réussir : il faut que les 2 partenaires soient attirés l'un vers l'autre et l'un par l'autre, que les historiques laissent sa place à chacun, que les projets de vie soient communs, que l'épanouissement individuel soit possible…

Une fois le partenaire rencontré, ou en tout cas l'espoir possible, faut-il être « facile » ou « difficile » (dans le sens de exigeant) ?

Je suis entouré d'hommes et de femmes qui, sous prétexte de savoir ce qu'ils veulent, et ce qu'ils ne veulent plus, se sont fixé des critères nombreux et impératifs qui ne laissent aucune place à l'improvisation, ni à la découverte !

À mon avis, cela revient à se promener au milieu de centaines d'individus pour trouver un partenaire tout en ne quittant pas des yeux la photo du modèle que l'on aurait dans une main et en tenant dans l'autre la loupe qui permettra de vérifier si celui qui se présente y correspond bien.

La peur de l'échec fait faire de grossières erreurs car ce n'est pas parce que le nouveau partenaire sera ou ne sera pas physiquement comme le précédent que la même chose arrivera ou non. Les hommes et les femmes sont fort heureusement tous différents les uns des autres et il importe bien plus de s'entendre que de coller au modèle physique. « L'essentiel est invisible pour les yeux » a dit Le Petit Prince.

S'arrêter au fait qu'il pratique le vélo ou qu'elle tricote serait aussi stupide.

On peut se sentir très bien avec quelqu'un qui n'est pas son phantasme esthétique et ne pratique pas son sport favori !

Pour qu'une histoire d'amour soit équilibrée et dure, il me semble bien plus essentiel que les amoureux aient les mêmes valeurs, les même objectifs, et cela se découvre difficilement. Deux personnes peuvent avoir le même comportement pour des raisons très différentes. Prenons l'exemple d'une personne qui serait de tous les cocktails, toujours entourée et aimable. Est elle simplement très sociable et agréable ou veut elle se constituer un carnet d'adresses pour l'utiliser plus tard ?

Les spécialistes du recrutement font passer des batteries de tests aux candidats pour savoir comment prévoir et expliquer leurs comportements.

Comment pouvez-vous imaginer que quelques échanges avec une fiche, forcément mise en valeur, puisse facilement déboucher sur une romance réciproque ?

Tout est donc question d'ouverture, d'écoute, de temps pour se découvrir...

Après tout, les amitiés indestructibles ne sontelles pas aussi le résultat d'une approche progressive qui a amené les amis à se découvrir des centres d'intérêt, des valeurs communes puis à partager des sentiments très forts ?

De la même façon, la peur de se « prendre une veste » fait reculer de nombreux prétendants au bonheur qui n'osent plus s'approcher ou se dévoiler trop rapidement.

Je suis donc plutôt sceptique, même si de belles histoires d'Amour ont commencé suite à un premier contact sur Internet, vis-à-vis de la méthode qui consiste à choisir sur un catalogue une personne en espérant ensuite que le feeling suivra. Il faut autant de chance qu'au Loto pour que ce soit réciproque.

Je préfère penser qu'il faut ouvrir son cœur, être réceptif aux moindres signes et suivre son instinct.

Mon conseil sera donc de jeter les a priori et d'être prêt à toutes les découvertes.

La bonne question est plutôt, pour les deux sexes, de savoir quand s'investir de nouveau ?

Car s'investir signifie bien faire confiance, se dévoiler et donc prendre le risque d'une nouvelle déception.

« Fuir le bonheur de peur qu'il se sauve » a chanté Isabelle Adjani. « Tout en le cherchant quand même » pouvons-nous ajouter.

J'ai rencontré des dizaines d'hommes et de femmes empêtrés dans cet insoluble dilemme.

Je l'ai vécu moi-même et j'y pense encore régulièrement.

Même quand c'est vous qui avez fait le choix de la rupture après vous être engagé pour la vie, la claque est dure à oublier !

Je sais que nous nous posons tous la question et je n'ai pas la réponse universelle.

Je crois que l'engagement se fera peu à peu, au fur et à mesure que l'on se découvre, que l'on s'apprécie, que l'on se confie et que la confiance naît.

Pascale et moi avons fait connaissance au sein de l'association, alors que je ne voyais même plus les femmes qui m'entouraient. Je veux dire que j'étais fermé à toute éventualité, certain que, de toute façon, l'Amour n'était plus fait pour moi et que je pouvais déjà être satisfait d'avoir été longtemps heureux avec mon ex-femme.

Nous nous sommes croisés deux ou trois fois jusqu'à une soirée dansante où le hasard nous a mis dans les bras l'un de l'autre pour un rock que je n'oublierai jamais. C'est, à ce jour, et je le sais maintenant, la seule fois que j'ai eu un véritable coup de foudre !

Je ne parvenais plus à quitter des yeux son regard. Je vivais un étonnant mélange de sentiments : le besoin de paraître fort comme un homme et celui de me sentir démuni comme un petit garçon.

C'était comme si j'avais en face de moi, contre moi, une femme inaccessible comme Catherine Deneuve, attirante et mystérieuse comme Grace Kelly et simple comme Romy Schneider !

J'en suis resté scotché et, aujourd'hui encore je me demande ce que j'ai bien pu faire pour qu'elle m'accorde ses faveurs.

Il m'a fallu deux semaines pour oser un premier baiser !

Je me suis engagé avec Pascale doucement, la peur au ventre, un peu plus quand je sentais une réponse positive à mes engagements et une réciproque. Notre histoire s'est construite peu à peu, à deux puis à six (avec nos quatre enfants – l'aînée de Pascale est indépendante) et nous avons choisi de vivre ensemble et « chacun chez soi », à 300 mètres l'un de l'autre. Elle est invitée chez moi et je le suis chez elle. Je m'occupe de mes courses et de mon ménage et elle ne repasse pas mes chemises.

Nous n'avons pas inventé ce modèle qui fut celui de Michèle Morgan et Gérard Oury, par exemple.

Notre relation est amoureuse et raisonnée, rythmée par nos impératifs respectifs, et encore pleine d'imprévus, de nouveautés.

La crainte que cela cesse doit surtout nous forcer à être vigilants et à ne pas basculer dans une relation banale et routinière.

Contrairement à ce que nous entendons parfois, nous sommes un vrai couple et il ne s'agit pas de ne partager que les bons cotés.

Nous échangeons sans cesse et nous partageons nos joies et nos peines. Nous avons nos moments chacun avec nos enfants, nos moments seuls et nos moments ensemble. Nous nous voyons selon nos envies, nos besoins et ne subissons pas les temps imposés par des métiers nocturnes ou qui imposent des déplacements. Nous n'avons cependant pas toujours les mêmes envies en même temps et nous avons 2 appartements à tenir et 2 frigos à remplir. La formule est loin d'être la plus économique mais devrions-nous vivre sous le même toit pour des raisons seulement financières ?

Notre mode de vie, ensemble trois à quatre soirées par semaine, un WE sur deux en amoureux et un sur deux à six rend notre couple fragile. Il n'y a pas de lien, ni de promesse officielle autre que celle que nous nous sommes faite.

Celui qui voudrait rompre n'aurait qu'à le dire. Pas d'avocat ni de notaire, pas de pension ni de déménagement.

Cette fragilité est aussi notre chance et notre ciment. Nous n'avons aucune raison de nous tromper, dans les deux sens du terme, et nous n'avons à respecter notre engagement que l'un pour l'autre et non pour les autres.

CHAPITRE XVIII

Grave erreur : se tromper de bonheur !

« La recherche du bonheur rend les gens tellement malheureux » selon Georges Raby.

Dan Millman a écrit « Le secret du bonheur ne consiste pas à rechercher toujours plus, mais à développer la capacité d'apprécier avec moins ».

Je suis souvent témoin d'une erreur fréquente et désastreuse : tout attendre de La Rencontre !

Par « tout attendre », je veux dire que la personne s'imagine que le seul fait de trouver l'« âme sœur » va la rendre totalement et définitivement heureuse.

À l'instar de Paul Dewandre, qui parle de nombreux réservoirs de bonheurs, je pense que le grand vrai Bonheur vient, d'une part, du fait que l'on est globalement heureux dans les différents domaines (bien-être, sécurité, santé, famille, amour, professionnel, relation avec les autres…) tout en acceptant que tous ces réservoirs ne peuvent être totalement emplis simultanément et, d'autre part, que l'on ne ressent pas le manque de ce que l'on a pas au point de s'en rendre justement malheureux.

Il s'agit donc avant tout d'un état d'esprit, de convictions, de comportements qui vous éveillent et vous rendent sensible au bonheur.

Je rencontre tant de femmes et d'hommes qui sont si malheureux de tout avoir sauf « l'âme sœur » qu'ils sont certains que celle-ci apportera enfin le bonheur total. C'est mettre la barre bien haut et prendre le risque de devenir très exigeant avec le partenaire, de mettre beaucoup trop de poids dans cette future relation et sur les épaules de l'être rencontré.

Il y a plusieurs éléments qui me semblent très gênants.

Avant tout, vous risquez de vous poser vous-même vos propres œillères en posant des critères trop rigides alors que des histoires fantastiques ont rapproché des personnes qui étaient en théorie opposées. C'est ce qui arrive lorsque vous vous dites pour que vous puissiez être heureux(e), votre partenaire devra être de tel niveau socioculturel, originaire de telle région, employé dans telle activité…

C'est l'un des risques sur les sites de rencontres mal utilisés et un argument de plus pour que l'on essaie de se rencontrer dans un cadre naturel, humain, qui laisse place au charme de la découverte et qui accorde le temps que l'alchimie opère.

Si tous les célibataires se posent des œillères étroites et communiquent, de surcroît, de façon virtuelle, vous risquez de vous croiser longtemps sans vous voir !

Le second élément, c'est que nous avons tous des qualités et des défauts et que l'amour se moque bien de savoir si la liste des courses est achevée. Il est donc ridicule d'énumérer les qualités attendues, censées impératives à vous rendre heureux et, surtout, de ne pas la quitter des yeux !

Comme personne n'est parfait, il y aura forcement une déception sur tel ou tel point si vous cherchez la perfection. Je revois une amie expliquant qu'elle avait rencontré un homme extraordinaire, avec des enfants charmants, très prévenant et attentionné mais en déplacement durant toute la semaine : « Impossible dans ce cas d'espérer construire quelque chose ensemble dans la durée ! ».

Les hommes, comme les femmes, sentent très bien quand quelqu'un est en chasse, aux abois ou mal à l'aise. Les personnes qui veulent se caser font peur et celles qui ont peur de s'engager font fuir.

Il est donc avant tout essentiel d'être bien avec soi-même, de s'accepter et d'avoir défini avec sérénité ses objectifs de vie. Un sourire radieux naturel attire bien plus que tous les artifices.

Enfin, il y a une part de chance qui fait se rencontrer deux êtres qui s'attirent, se plaisent et s'épanouissent réciproquement en même temps.

Un proverbe chinois dit qui ne faut jamais baisser les bras car la chance passe toujours juste ensuite.

De la même façon, il faut avoir toujours les yeux bien ouverts pour, sans chasser, apercevoir les occasion de qualité qui se présentent.

Le coup de foudre tient à peu de chose, un regard, un geste…

Et il y a de nombreux couples heureux et harmonieux qui ont su concevoir une relation durable sans véritable coup de foudre !

Je pense plutôt que nous devons accepter d'évoluer tout doucement et de profiter du bonheur au fur et à mesure qu'il vient, sans attendre celui que l'on aura demain.

Je pense même que si l'on attend trop d'une rencontre, elle ne viendra pas car elle ne pourra pas venir !

André Comte-Sponville, durant ses conférences sur l'Amour, nous explique clairement les différences entre les 3 Amours : Eros, qui désire et aime ce qu'il n'a pas encore alors qu'il délaisse de suite ce qu'il a; Philia, l'Amour-Amitié; et Agapè qui nous fait renoncer à nous pour le bonheur de l'autre.

Notre maturité devrait nous pousser, à 40 ans encore plus qu'à 20, à aimer donner à l'autre du bonheur et à y trouver notre satisfaction.

Nous ne chercherons plus alors un plaisir égocentrique mais à construire ensemble une relation adulte dans laquelle chacun donnera et recevra naturellement en retour.

CHAPITRE XIX

Connaître les cycles de la vie d'un couple

Alain Girard puis Michel Bozon et François Héran ont démontré que « qui se ressemble s'assemble ». Dans la grande majorité, même si ce sont parfois les contraires ou les compléments qui s'attirent, les enfants de commerçants, de professions libérales ou d'ouvriers se marient entre eux.

Dans près de 50 % des cas, les deux membres du couple sont aussi issus du même département.

Tout cela peut sembler bien normal tant il est plus facile de rencontrer une personne du même milieu et tant, depuis l'abandon heureux des unions arrangées, il est compréhensible que les deux tourtereaux doivent aussi pouvoir se rencontrer et se revoir aisément pour décider de vivre ensemble.

Cependant, il n'est pas possible de confirmer qu'une catégorie craindra moins la rupture qu'une autre. Choisir sa moitié parmi son milieu ou ses connaissances n'augmente pas finalement les chances de pérennité.

En passant, une autre règle semble immuable : plus la femme est jolie, et plus elle aspire à une évolution sociale. Plus l'homme est riche et plus il porte attention à l'esthétique de sa compagne. Cela confirmerait l'adage selon lequel il y a plus de jolies femmes dans les jolies voitures !

Dans un couple, des périodes différentes et plus ou moins longues vont se succéder :

Jean-Claude Kaufmann, dont le livre « *Sociologie du Couple* » (PUF) devrait être obligatoirement lu par tous les candidats au mariage, a parfaitement analysé les cycles de vie du couple.

Pour simplifier, je vous propose de voir le couple en quatre phases :

– **Avant la naissance d'un enfant commun :** Le jeune couple est totalement axé sur sa conception (installation, appartenance à un groupe social, reconnaissance par la famille) et peu d'obstacles se présentent. Chacun, sur son petit nuage amoureux, fait l'apprentissage de l'autre. Nouveauté et exaltation se mêlent. Les projets fleurissent et les hormones poussent à l'agrandissement de la famille. Le moi est abandonné au profit du nous. Tous les espaces sont communs. C'est l'époque de tous les espoirs et il est fréquent d'idéaliser le nouveau partenaire.

Les amoureux se découvrent sans, la plupart du temps, aborder leurs différences. Ils sont en état de fusion. Le temps disponible leur permet de sortir, de s'amuser…

– **Après la première naissance :** Le couple est heureux, mais aussi totalement perturbé par cette transformation : il devient famille. Comme nous ne bénéficions pas de formation particulière pour l'éducation d'un enfant, ce sont souvent les grands-mères qui tiennent ce rôle. Le couple n'a plus de moment réservé. Tout doit être organisé autour des repas, des siestes. Peu à peu, les sorties intimes deviennent plus rares et la naissance d'un second enfant peut augmenter le sentiment pour chacun de ne plus exister. Le quotidien devient pesant. Le père et la mère vont avoir envie d'un peu d'autonomie. La compensation est le confort ménager ou le sentiment qu'il n'y a plus à prouver, à conquérir. Mais le couple rentre peu à peu, souvent sans s'en rendre compte, dans une routine imposée par les travaux domestiques et par la vie de famille. Les projets professionnels et la nécessité de « réussir » peuvent finir par donner aux deux parents l'impression de se croiser.

– **La quarantaine** est la période qui connaît le plus de séparations : les enfants deviennent préadolescents, les parents du couple sont parfois malades ou dépendants et se rapprochent de la mort : C'est le moment des bilans : « Vais-je continuer ma vie ainsi ? Suis-je vraiment heureux ? N'est-ce pas meilleur chez le (la) voisin(e) ? »

Chacun souhaite retrouver quelques activités individuelles, quelques libertés ou un peu d'intimité. Bien entendu, le confort a du bon : moins d'incertitude, aisance matérielle, petits plats en famille ou avec les amis, sécurité des habitudes.

Certains, que je pourrais envier, trouvent un équilibre mutuel parfait et solide entre passion et quotidien. Un attachement véridique se mêle à l'Amour et les liens deviennent indestructibles.

D'autres couples doivent gérer en permanence un équilibre bien difficile entre confort et insatisfactions. En effet, les espoirs peuvent s'évanouir, les corps jeunes et fermes se flétrir, les défauts sans importance d'autrefois peuvent devenir irritants.

Et la tentation d'une nouvelle passion peut apparaître à l'occasion d'une rencontre ! Il est fréquent de croiser des couples se contentant d'un compromis vague fait de hauts et de bas.

Les derniers, enfin, se résignent à accepter une totale disparition de l'Amour réciproque (15 % des couples ne divorceraient pas par peur de l'isolement ou à cause de la totale dépendance financière, ressentie ou réelle, de la femme)

– Enfin, **après la cinquantaine**, les enfants deviennent eux-même indépendants et le couple se retrouve seul, vieilli et ayant parfois mené deux vies parallèles. Certains récupèrent alors un nouvel engouement, voyagent ou profitent de la vie. Mais d'autres n'ont plus rien à se dire et cherchent chacun une activité individuelle extérieure.

Ces 4 phases sont presque systématiques pour tous les couples et à chaque période correspondent ses tensions et ses risques de désaccords.

Comme la plupart des « fautes » estimées commencent par des quiproquos ou des incompréhensions, il faut que le couple communique beaucoup et que chacun reste à l'écoute.

Dans les litiges importants, se faire aider par un conseiller familial ou un médiateur peut permettre de débloquer une situation, de renouer le dialogue.

D'après Kaufmann, l'organisation du travail domestique est la première chose à régler tant son absence peut être porteuse de chaos. Nettoyage, rangement, réparations sont des tâches répétitives et peu valorisantes, contrairement à l'éducation ou aux projets financiers ou immobiliers.

Sous-traiter les premières peut être une excellente solution pour éviter les causes de disputes correspondantes et bénéficier d'un confort et de temps supplémentaires.

Une bonne répartition des travaux ménagers, juste et conjointement acceptée, et l'achat de machines à laver suffiront en général si les moyens monétaires sont insuffisants pour avoir du personnel de maison.

Cependant il n'est pas facile, et peut-être pas si naturel, de faire vivre ensemble pendant 40 ans des homos-sapiens qui ont fait assez rapidement connaissance et vont encore continuer à évoluer. J'ajoute que les couples vivent maintenant longtemps ensemble, 40 à 50 ans alors que l'espérance de vie et les guerres rendaient cette longévité quasi idéaliste avant. Pour finir, les modes de vie étaient très différents : L'infidélité était, sinon acceptée, passéc sous silence alors qu'elle peut maintenant être la cause d'une rupture rapide. La société de consommation a peut-êtrc aussi habitué les individus à changer plus vite en cas d'insatisfaction ?

Pourquoi ce chapitre ? Parce que les divorces et les séparations se font de plus en plus tôt, après 7 ans de vie commune en moyenne.

Parce que si vous voulez fonder un nouveau foyer, vous allez sans aucun doute revivre ces cycles. Parce que les connaître permet de s'y préparer et de ne pas tomber deux fois dans les mêmes panneaux.

CHAPITRE XX

Ne répétez pas les mêmes erreurs

D'après un sondage SOFRES, qui fut réalisé à l'époque pour *Le Nouvel Observateur*, les causes principales de divorce sont :

1. L'infidélité
2. La routine
3. Les disputes
4. La jalousie
5. Le boulot
6. Le sexe

Nous pouvons remarquer que presque toutes ces causes sont consécutives à la chute de la Passion pour l'autre, à la fin du désir d'un Bonheur commun.

La relation entre femmes et hommes est fondée dès le départ sur un quiproquo. Beaucoup de scientifiques, sociologues, psychanalystes ou auteurs s'accordent pour reconnaître que l'éducation des enfants, mais aussi les milliers d'années passées, ont conditionné nos comportements.

Prenons seulement trois exemples :

– les filles espèrent le prince charmant attentionné et romantique alors que les garçons font des rêves de conquêtes, loin de la maison, habillés en cosmonautes ou en guerriers.

– les garçons apprennent qu'ils ne doivent pas être tendres s'ils veulent devenir des hommes, qu'il est bon de faire un sport collectif avec ses copains et qu'il faut gagner de l'argent pour nourrir sa famille et être reconnu socialement. Les filles espèrent un mari affectueux et disponible à la maison...

– Je ne vais pas rappeler que les femmes et les hommes sont différents psychologiquement et physiologiquement mais ces distinctions sont à l'origine de beaucoup d'incompréhensions entre nous et nous l'oublions bien vite ! Le simple fait de vous demander pourquoi les femmes font ceci ou pourquoi les hommes sont comme cela démontre que nous ne nous connaissons pas assez.

Pourtant, ne pas tenir compte de ces élémentaires et nombreuses différenciations hypothèque déjà largement la chance que la greffe prenne. Comme chacun cherche en général à combler l'autre, du moins peut-on l'espérer lors de l'union, l'homme et la femme doivent patiemment apprendre à se comprendre et, donc, à communiquer. Et puisque l'on cherche à combler l'autre, il faut commencer par admettre que ce qui lui ferait plaisir n'est pas forcement ce que nous attendrions nous-même !

De plus, les tracas quotidiens, la routine... peuvent retirer aux deux amoureux la moindre libido : « Pas ce soir, chéri(e), j'ai la migraine ! ».

La solution est donc facile à trouver (mais pas à pratiquer !) : ne laissez pas la flamme de la Passion s'éteindre sans la remplacer par un lien fort, surtout après la naissance des enfants !

Nos cxpériences passées de séparation doivent nous servir à l'avenir.

Je vous propose ci-dessous quelques conseils sans prétention que nous n'avons pas su suivre nous-même durant notre mariage. Après coup, il est toujours plus facile d'ouvrir les yeux et de se dire « mais bien sûr ! »

1) Préservez des moments d'intimité.

Chercher l'union parfaite et le « on-fait-toujours-tout-ensemble » a de forte chance de provoquer à terme le ras-le-bol !

Les relations avec les amis et la famille en souffrent souvent aussi.

J'entendais tout dernièrement l'histoire d'un jeune couple, avec un enfant, inséparable au point que le bébé n'était pas laissé aux grands parents de peur qu'ils s'en occupent mal. Les grands-parents commençaient à reprocher à leur bru ou beau-fils ce choix incompréhensible. Les ennuis commencent ?

À ce sujet, savez-vous que l'EGPE, École des Grands-Parents Européens qui participe à renforcer les liens entre les générations, a été fondée par une Lilloise qui proposait à l'origine de garder ses petits-enfants tous les mercredis soirs pour que les parents aient une soirée libre chaque semaine ? www.egpe.org

Se séparer de temps en temps permet le plaisir de se retrouver, donne envie de savoir ce que l'autre a fait, suscite les discussions, l'intérêt...

Garder une petite indépendance évite de faire subir à l'autre ce qu'il n'aime pas et lui donne l'occasion de faire de même.

Les passions sportives ou culturelles, les collections ne doivent pas être forcément partagées ou abandonnées sous prétexte qu'elles ne sont pas communes.

2) Dites-vous ce que vous pensez, ce que vous ressentez :

Il n'y a rien de pire que de garder au fond de soi une rancœur due à un quiproquo.

Exprimez-vous lorsque cela va bien et dans le cas contraire.

Un truc pour éviter les conflits : vous raconter le fait tel que vous l'avez vu ou entendu ; vous exprimez ce que vous avez ressenti, sans faire de reproche ; vous expliquez la conclusion que vous en tirez. Puis vous demandez si vous avez bien compris.

Par exemple : « Je n'ai pas compris ton comportement tout à l'heure chez les Dupont. Il m'a semblé que tu voulais me tourner en ridicule… Ai-je raté quelque chose ? » est ouvert, invite à l'explication et remplacera avantageusement « Tu m'as encore fait passer pour un imbécile tout à l'heure. Je me demande ce que je fous avec toi ? »

Un copain rencontré chez les « Solos » m'a expliqué que dans son couple, les disputes étaient rares. Il ne comprenait pas, en revanche, pourquoi lorsque ça arrivait, il entendait une série infinie de reproches plus ou moins anciens, certains oubliés, dans des contextes franchement vagues.

Il finissait par partir sans dire un mot pour couper la « conversation »…

3) Faites l'amour :

L'adage selon lequel on garde son homme par le ventre a fait beaucoup de mal ! D'abord, ceux qui absorbent plus de calories qu'ils n'en dépensent grossissent surtout. Ensuite, la satisfaction physique du couple est le moyen le plus sûr d'éviter les tentations extérieures. Comme toujours, il ne faut pas confondre qualité et quantité, ni habitude et routine. Rien ne dégrade plus sûrement la vie du couple, selon moi, que l'absence de sexe ou de diversité, à moins que les deux s'en satisfassent en même temps ! Enfin, faire l'amour permet justement de perdre les calories gagnées en dégustant de bons petits plats.

Il est fréquent d'entendre dire que les hommes ont plus souvent envie que les femmes et des biologistes l'expliquent par le besoin de survie de l'espèce. Il ne s'agit certainement pas seulement de fréquence. Ce serait vraiment très simpliste mais le résultat souvent observé chez les hommes qui font rarement l'amour est qu'ils vont le faire ailleurs.

J'ai trop peu de connaissance spécifique sur le sujet à apporter mais, en simplifiant vraiment, je pense que si les femmes recevaient les attentions et le plaisir attendus lors des rapports, elles auraient peut-être aussi plus souvent envie. Il est probable au demeurant que les hommes seraient satisfaits d'un peu moins de passivité féminine.

Une fois encore, compréhension et attentions devraient éviter que les partenaires ne se désirent plus.

J'aime bien l'idée selon laquelle il faut agir en rapports sexuels comme en alimentation : des bons plats familiaux la plupart du temps ; parfois un fast-food vite fait mais bien fait et de temps en temps un repas gastronomique !

4) Cherchez tous les jours à faire un petit plaisir :

Il suffit de réfléchir quelques instants pour deviner ce qui ferait plaisir à votre partenaire. Allez, au fond de vous, vous le savez bien. Et vous seriez capable de le faire. Quelques exemples ?

– un coup de fil : « je pense à toi », « c'était super hier soir »...

– une escapade en amoureux de temps à autre,

– un bouquet de fleurs,

– une invitation au restaurant,

– les petites attentions évocatrices (massage du dos, bisou dans le cou, mots doux...)

– écrire une lettre d'Amour ou lui laisser des *post-it* langoureux partout, dans sa voiture, son agenda...

– retirer ses chaussettes avant de se coucher et se parfumer, porter de la lingerie…

– …

5) Continuez à faire des compliments : concentrez-vous sur le positif et dites-le.

N'oubliez jamais les anniversaires, ni le retour des courses d'habillement. Il y a des centaines d'occasions de dire que l'on est content(e) de l'autre.

Merci d'avoir fait les courses, d'avoir réparé la douche, d'être allé chez le garagiste… faites des compliments sincères qui viennent du cœur.

Les quatre mots à utiliser le plus au quotidien sont : s'il te plait, merci, bravo et pardon.

Ne ratez pas une occasion de dire autour de vous que l'autre a fait quelque chose de bien, que vous en êtes fier(e).

Et puis, tant qu'on a la santé, qu'est ce que ça peut faire que l'on ait cinq minutes de retard pour partir en vacances ou que la chemise espérée ne soit pas prête quand on en a plein d'autres dans son placard ?

L'une des difficultés me semble que pendant la phase de fusion, au début du couple, nous ne voyons que les cotés positifs et pensons que le peu de négatif pourra être changé. Au fur et à mesure que le temps passe, il y a risque que ce négatif pèse de plus en plus lourd, devienne rédhibitoire. Pourtant, il y toujours du positif et il suffit de continuer à ouvrir les yeux pour le voir. Quant au négatif, il est rarement bien grave dès lors qu'il y a respect !

L'Amour s'entretient, comme un jardin qu'il faut surveiller sans cesse et qu'il ne faut jamais oublier.

6) Préservez votre image :

Ne pas se dénigrer et ne pas se laisser aller !

Les « Chérie, je me demande ce que tu fais avec un mec comme moi ? » et les « je suis vraiment nul » … risquent, à la longue, de la convaincre qu'elle vaut mieux.

Le pendant féminin vaut tout l'or du monde : « Tu ne trouves pas que je suis grosse ? », « Cette robe me va comme un sac ! », « J'ai des cheveux de sorcière » …

J'ai l'exemple précis d'un couple dont la femme disait constamment « Je suis horrible ! ». Au début, j'avais remarqué que le mari la reprenait par une phrase du type « Mais non, tu es superbe, ma chérie ! » puis quelques années plus tard par « Si tu le dis... » et, enfin, la dernière fois que je les ai vu, par « On peut le dire ! ».

Ce n'est pas parce que vous êtes en couple depuis longtemps que vous devez vous promener en survêtements toute la journée ou uriner la porte ouverte. De même, les bigoudis sur la tête et les mules aux pieds, vous risquez de créer un choc irréparable.

Ne faites pas ce que vous n'auriez pas fait pour le ou la séduire. Ne faites pas regretter de vous avoir choisi(e). Ne tentez pas l'autre de regarder si c'est mieux ailleurs.

Vous aimez votre partenaire ?

Demandez-vous chaque jour ce qui lui donnerait envie de rentrer plus vite, le sourire aux lèvres et le cœur battant.

7) Essayer de comprendre :

Posez-vous toujours la question : « Pourquoi a-t-il fait cela ? Pourquoi pense-t-elle ceci ? »

Les réactions que nous avons, les actions que nous initions sont dictées par de multiples facteurs, plus subjectifs les uns que les autres. Nos cadres de références nous empêchent de donner à plusieurs la même explication à un même fait. Essayez de comprendre avant toute critique.

Et pour éviter que votre question ne soit vécue comme un reproche, commencez par « je n'ai pas compris pourquoi… » plutôt que par « pourquoi as-tu… ».

Je ne pourrais pas estimer le nombre de fois où j'ai essayé de m'expliquer ce que je ne comprenais pas sans poser une seule question et en l'analysant sous l'angle de mon propre cadre de références. J'ai dû me tromper bien souvent !

Je suis toujours impressionné par ces soirées où, au sein de l'un des couples invités, l'homme explique en long et en large qu'il ne comprend pas pourquoi elle achète tant de vêtements, ou la femme pourquoi il va faire du vélo avec ses copains tous les dimanches matin.

Irrité par la série des « Mars et Vénus » que je trouve assez soûlante, je suis allé suivre un séminaire sur les relations au sein du couple avec des pieds de plomb. Pourtant, je vous recommande vivement un stage de 2 jours avec un formateur tel que Paul Dewandre sur la compréhension entre hommes et femmes. Il était trop tard pour mon mariage mais, à 40 ans, j'ai compris de très nombreuses différences de comportement et j'ai sûrement beaucoup gagné pour améliorer ma future relation.

J'y ai croisé un très jeune couple qui se faisait ce cadeau de mariage pour éviter de reproduire les erreurs de leurs aïeux. Comme toute formation vite oubliée, il est nécessaire d'y revenir régulièrement pour maîtriser. Justement, ceux qui ont participé à un week-end de formation « Mars-Vénus » peuvent ensuite y retourner gratuitement !

Ce type de stage devrait être offert à tous les nouveaux couples.

Il n'y a rien de pire que de s'acharner à vouloir changer son partenaire pour qu'il ressemble à l'idéal que vous vous êtes fixé et c'est souvent ce qui arrive lorsqu'on ne comprend pas ou ne respecte pas la différence.

« Celui-là n'aime pas véritablement qui n'aime pas jusqu'aux défauts de l'être aimé ».

CALDERON – Poète dramatique espagnol

8) Choisissez bien vos amis :

Si « les enfants finissent par faire comme ceux au milieu desquels on les met », il en est souvent de même pour les adultes. Évitez les couples qui se trompent tout le temps, le copain qui sort en boîte et drague dès que sa femme est en vacances et la copine qui n'arrête pas de dire qu'il n'y a rien de bien en l'homme.

9) Battez vous jusqu'au bout :

Lorsque vous sentez un passage difficile entre vous, ne baissez pas les bras ! Ne vous dites pas que vous vous êtes trompé, qu'il y en a d'autres.

Il est normal qu'il y ait des périodes de doutes dans un couple, des hauts et des bas. Ne laissez pas tomber à la 1ère dispute.

Au contraire, faites tout pour le ou la reconquérir de suite. Soyez imaginatif, imprévisible et apportez des preuves réelles d'intérêt, de respect, de tendresse, de confiance, d'amour…

Il n'y a rien de pire que de rester ensemble par habitude et rien de plus fort que de se dire qu'il ne peut pas y avoir mieux ailleurs.

L'Amour sur lequel vous avez forgé votre couple vaut tous les efforts. Mettez votre ego de côté si vous êtes blessé(e) mais que ce n'est pas absolument rédhibitoire !

Pascale, ma compagne, a dernièrement entendu André Comte-Sponville expliquer que les couples qui durent sont ceux qui unissent de très bons amis qui aiment faire l'amour ensemble !

Pour résumer positivement

– La séparation est une expérience difficile et impose de réorganiser sa vie.

– Les besoins physiologiques et sécuritaires se satisfont facilement avec temps et moyens.

– Recréer un tissu social s'avère plus difficile car nous sommes encore un peu perdus dans une société où le couple et la famille 2+2 sont modèles.

– Il est facilement possible de rejoindre ou de créer des groupes communautaires partout pour s'ouvrir de nouveau aux autres en dehors du travail.

En rencontrant de nouveaux amis, vous allez vous ouvrir l'horizon, découvrir de nouveaux centres d'intérêts, de nouvelles passions.

Vous allez effectuer des sorties, pratiquer des activités ou des sports que vous n'auriez jamais imaginé connaître. Vous allez peut-être voyager avec des inconnus, sceller des amitiés formidables et indestructibles.

À la lueur de la lampe jaunie d'un pub irlandais, vous découvrirez peut-être celui ou celle qui fera votre bonheur.

Bref, vous commencez une nouvelle vie !

Voilà tout ce que vous risquez si vous ne restez pas devant votre télé !

Aujourd'hui, je suis en paix :

Je ne regrette pas notre divorce et j'ai de bons souvenirs de ma vie maritale.

Je vois mes filles très régulièrement et je les adore. J'ai besoin d'elles et j'ai besoin de les combler sans excès.

Leur mère et moi entretenons des relations normales sans heurt particulier.

Je connais des dizaines de personnes, souvent superbes, humainement très riches, dynamiques et ouvertes dans toute la France. J'ai toujours plaisir à les rencontrer.

J'ai appris énormément à leurs contacts et je pense qu'elles m'ont très largement bonifié.

Je consacre une bonne partie de mon temps libre à l'Association des Solos car elle m'a fait rebondir et je suis content de lui donner à mon tour un peu d'énergie.

Je suis heureux de partager ma vie, et chacun chez soi, avec Pascale qui est une femme vraiment extraordinaire.

Je sais que l'échec d'un couple n'est pas l'échec d'une vie.

J'ai eu raison de ne pas acheter une nouvelle télé !

J'espère vous avoir convaincu que je ne suis ni un cas particulier, ni un cas isolé : rebondir dépend d'abord de chacun d'entre nous. Et nous en sommes tous capables.

Références :

Ateliers Mars/Venus

Paul Dewandre – Tel : 33-(0)4.42.59.32.76

Le Bonheur, désespérément, André Comte-Sponville, Pleins Feux.

L'Amour, la Solitude, André Comte-Sponville, Albin Michel.

La Solitude : peines et richesses, Nicole fabre, Albin Michel.

Sociologie du couple, Jean-Paul Kauffman, (PUF).

Le Guide de votre Divorce, Maître Catherine Ribay de Villeneuve, Dauphin.

Cherche Âme Sœur, Chantal Hurteau Mignon et Christophe Jaouën, Dangles.

Table des matières

Pour découvrir nos toutes dernières nouveautés,
et les nombreux ouvrages qui ont fait,
depuis 80 printemps, la réputation de notre maison,

www.editions-dangles.com

Pour toute demande de renseignements :

Éditions DANGLES

diffusées et distribuées par D.G. DIFFUSION
Z.I. de Bogues
31750 Escalquens

Tél. : (33) (0) 5 61 00 09 99

Fax. : (33) (0)5 61 00 23 12

editions@dgdiffusion.com

Comment faire pour que nos nuits soient plus belles que nos jours ?
Il faut commencer par retrouver un bon sommeil, sans somnifères. Puis on peut apprendre à s'endormir à volonté, vaincre ses insomnies et se rendormir rapidement. Il n'y a pas de vie heureuse sans un bon sommeil.

Les rêves constituent la moitié de notre vie.
Mais il faut d'abord apprendre à se souvenir de ses rêves. Certains rêves nous troublent et l'on veut savoir ce qu'ils signifient. Un rêve qui revient et dont on ne connaît pas le sens est comme une lettre qu'on n'ouvrirait pas. On ne peut plus laisser les enfants vivre avec des cauchemars à répétition et des terreurs nocturnes. Il existe des méthodes simples et gratuites pour s'en débarrasser. On peut aussi se soigner par ses rêves et surtout on peut y trouver un guide, de l'inspiration et de l'intuition. Les rêves sont une source de créativité extraordinaire. Les psychanalystes ont assez interprété les rêves, il est temps de les changer.

Ce livre donne les méthodes pour accéder au rêve lucide et aborder le rêve-éveillé. Il offre un voyage initiatique à travers les formations traditionnelles de maîtrise des rêves.

L'AUTEUR : ***Marc-Alain Descamps enseigne la psychologie et le yoga. Il est psychanalyste rêve-éveillé. Après avoir voyagé en Asie, il présente une nouvelle psychologie intégrant les techniques d'inspiration orientale.***

ISBN : 2-7033-0649-0
240 pages, noir et blanc.
16 euros

MARC-ALAIN DESCAMPS

LES RÊVES

LES COMPRENDRE ET LES DIRIGER

Dangles
ÉDITIONS

Achevé d'imprimer sur les presses de
l'Imprimerie France Quercy, 46090 Mercuès

N° d'impression : 62189
Dépôt légal : août 2006

Imprimé en France